Pancakes, crêpes et gaufres pour tous

KÖNEMANN

Conseils pratiques

Très facile

Facile

Difficile

Les mesures utilisées sont les grammes et les litres. Les tasses servant d'unité de mesure ont un contenu de 250 ml. Une tasse ou un bol équivaut à 250 ml. Les œufs utilisés dans les recettes pèsent en moyenne 60 g. Le contenu des boîtes de conserves dans les commerces varie, prenez donc la taille s'approchant de celle utilisée dans nos recettes.

Mesures et abréviations

Tasse = 250 ml

Cuil. à soupe = 20 ml

Cuil. à café = 5 ml

g = gramme

kg = kilogramme

ml = millilitre

l = litre

Copyright © Murdoch Books 1997
213 Miller Street, North Sydney, NSW 2060, Australie

Tous droits réservés. Aucune partie de ce livre ne peut être reproduite sous quelque forme ou par quelque moyen électronique ou mécanique que ce soit, y compris des systèmes de stockage d'information ou de recherche documentaire, sans l'autorisation écrite de l'éditeur.

Ce livre est composé de recettes choisies du titre original *Pancakes Pikelets, Crepes & Waffles* publié par Murdoch Books.

Copyright © 1998 pour l'édition française
Könemann Verlagsgesellschaft mbH
Bonner Str. 126, D-50968 Cologne

Traduction : Marie-Christine Louis-Liversidge, Paris
Lecture : Stéphanie Aurin, Ville d'Avray
Réalisation : Cosima de Boissoudy, Paris
Chef de Fabrication : Detlev Schaper
Impression et reliure : Sing Cheong Printing Co. Ltd.
Imprimé à Hong Kong (Chine)
ISBN : 3-8290-0081-2

Sommaire

Pancakes, crêpes et gaufres

Les pancakes, les crêpes et les gaufres font les délices des petits déjeuners, des déjeuners et des dîners. Voici quelques conseils pour leur préparation, qui vous permettront de les réussir à tous les coups et de les servir salés ou sucrés selon le moment de la journée.

PRÉPARATION DE LA PÂTE

Les pancakes, les crêpes et les gaufres se préparent à partir de la même pâte faite de farine, d'œufs et de lait. Vous trouverez une recette de base au début de chaque section du livre. Pour de meilleurs résultats, suivez ces différentes étapes, le résultat est infaillible.

Tamiser les ingrédients secs, (farines, épices, sucre ou levure) dans un bol et bien mélanger. Faire un puits au centre, à l'aide d'une cuillère en bois et ajouter le mélange d'œufs et de lait ou tout autre liquide (beurre fondu, jus de fruit ou parfums) et les arômes (zestes d'agrumes, chocolat et noix). Ajouter graduellement ou en une seule fois, selon la recette.

Faire un puits au centre des ingrédients secs à l'aide d'une cuillère en bois.

Verser les éléments liquides dans le puits et remuer lentement avec les ingrédients secs.

Les crêpes doivent être très fines et bordées d'une délicate dentelle.

Avec un fouet ou une cuillère en bois, incorporer les ingrédients liquides aux ingrédients secs avec un mouvement circulaire. Ne pas trop battre la pâte pour ne pas la durcir au moment de la cuisson. On peut aussi la battre au mixeur, en l'actionnant par à coups, très rapidement pour ne pas trop la travailler.

La pâte des pancakes se fait traditionnellement en ajoutant tous les ingrédients en même temps, ce qui donne une pâte moins lisse, mais très légère lors de la cuisson. Néanmoins certaines recettes indiquent de bien battre la pâte ; le résultat est tout aussi réussi, mais légèrement différent.

Pour la pâte à crêpes, verser les ingrédients liquides graduellement dans les ingrédients secs, jusqu'à l'obtention d'une consistance onctueuse. Il est préférable de laisser reposer la pâte de 30 minutes à 2 heures, ce qui permet aux ingrédients secs de continuer à se dissoudre dans le liquide. Ce procédé permet de donner aux crêpes une plus grande légèreté. La pâte doit être bien liquide. A la cuisson, les crêpes se bordent d'une délicate dentelle, et l'on doit pouvoir lire une lettre d'amour à travers ! La pâte à gaufres, nature ou aromatisée, doit être assez épaisse afin d'être également répartie sur un moule à gaufres bien chaud, sans couler sur les bords.

LA POÊLE

Les plus chères et les plus belles ne sont pas forcément les meilleures. Il existe des poêles spéciales pour crêpes, mais si vous n'en faites que périodiquement, une simple poêle à frire suffit. Les poêles à crêpes électriques sont, bien sûr, très pratiques.

La poêle à crêpes peut servir pour les pancakes, mais une plus grande poêle permet d'en préparer plusieurs à la fois. Choisissez la dimension adéquate, selon vos besoins. Il en existe en métal inoxydable, en fonte ou recouvertes d'un revêtement

Une petite poêle antiadhésive est tout à fait adéquate pour faire de bonnes crêpes.

antiadhésif.

Les moules à gaufres sont disponibles en plusieurs formes et différentes dimensions. Certains ont des plateaux amovibles et servent à la fois à faire des gaufres ou des croque-monsieur. Les

La poêle à crêpes électrique est aussi très pratique.

grands magasins en proposent de toutes sortes.

BEURRER LA POÊLE

Cette préparation est surtout utile pour les poêles en fonte ou en acier inoxydable. Faire chauffer une petite quantité de sel dans la poêle et frotter le fond avec un essuie-tout.

Lorsque le sel commence à dorer, le

Apprêter la poêle en faisant chauffer un peu de sel et en frottant le fond.

Enlever le sel et beurre le fond de la poêle avec un essuie-tout.

jeter et recommencer l'opération deux ou trois fois, puis essuyer la poêle. La beurrer avec un peu de beurre sur un essuie-tout pour éviter de trop la graisser. On obtient alors une surface lisse qui permet de faire cuire la pâte sans coller.

CUISSON

Les pancakes varient en épaisseur. Certains peuvent être aussi fins que des crêpes, d'autres plus épais. Verser la pâte dans une poêle légèrement beurrée et préchauffée. Lorsque des petites bulles apparaissent à la surface, les soulever avec une spatule, les retourner (le des-

sous doit être doré) et faire cuire l'autre côté. Faire cuire plusieurs pancakes à la fois, selon la dimension de la poêle.

Une pâte à crêpes doit toujours avoir

Lorsque de petites bulles se forment à la surface, retourner les pancakes.

une consistance bien liquide. Ajouter un peu de lait si nécessaire. Faire chauffer et beurrer la poêle. Verser un peu de pâte dans la poêle et remuer pour bien recouvrir le fond. Ôter l'excédent de pâte et remettre sur le feu. Faire cuire environ 1 minute, jusqu'à ce que les bords remontent légèrement. Détacher avec une spatule et retourner la crêpe pour la faire cuire 1 minute de plus. Les premières crêpes sont parfois un peu collantes, ajouter un peu de lait si elles sont trop épaisses.

Aussitôt que les pancakes ou les crêpes sont cuits des deux côtés, les disposer sur une assiette et les recouvrir d'un torchon pour qu'ils ne se dessèchent pas.

Pour faire cuire les gaufres, préchauffer le moule et le badigeonner de beurre fondu ou d'huile. Verser la quantité de pâte requise au centre. Si la pâte est

Lorsque la crêpe est cuite, elle se soulève légèrement sur les bords.

épaisse, l'étaler avec le dos d'une cuillère jusqu'aux bords. Fermer le couvercle et faire cuire, jusqu'à ce que les gaufres

Si la pâte à gaufre est un peu épaisse, l'étaler avec le dos d'une cuillère sur le moule.

soient dorées et légèrement croustillantes. La quantité de pâte varie selon la taille de votre moule.

CONSERVATION

Il est préférable de déguster les pancakes, les crêpes et les gaufres le jour de leur préparation. Mais on peut aussi conserver les pancakes et les gaufres au réfrigérateur ou dans un endroit sec pendant deux jours. Il suffit de les faire refroidir, de les envelopper et de les mettre dans une boîte fermée hermétiquement. On les fait réchauffer au four à micro-ondes (100 %), de 30 secondes à 1 minute avant de servir.

Pour conserver les crêpes, les envelopper individuellement dans du papier sulfurisé ou du film fraîcheur et les mettre dans une boîte fermée hermétiquement. Elles se gardent jusqu'à une semaine dans le réfrigérateur, ou 4 semaines dans le congélateur. Décongeler avant de les faire réchauffer.

Les gaufres bien refroidies se conservent pendant 4 semaines au congélateur, dans un sac congélation hermétiquement fermé. Laisser décongeler légèrement avant de les passer au gril préchauffé, dans un grille-pain ou à four moyen de 10 à 15 minutes. Avant de les passer au four, les recouvrir d'un papier d'aluminium pour qu'elles ne se dessèchent pas.

Pancakes

Pancakes au sirop d'érable

Préparation : 5 mn + 20 mn de repos
Cuisson : 15 à 20 mn
Pour 9 pancakes

185 g de farine avec levure
    incorporée
1 cuil. à café de levure chimique
2 cuil. à soupe de sucre en poudre
1 pincée de sel
2 œufs, légèrement battus
250 ml de lait
60 g de beurre, fondu
100 g de beurre, fouetté (avec un
    batteur électrique ou une cuillère
    en bois)
Sirop d'érable pour servir

1. Tamiser la farine, la levure chimique, le sucre et le sel dans un bol et faire un puits au centre. Mélanger les œufs, le lait et le beurre dans un pot et verser dans le puits en une fois, en fouettant pour obtenir une consistance onctueuse. Recouvrir le bol de film fraîcheur et laisser reposer la pâte pendant 20 minutes.

2. Faire chauffer une poêle et la beurrer ou l'huiler légèrement. Verser 1/4 de tasse de pâte dans la poêle et la tourner délicatement pour former un pancake de 10 cm de diamètre. Faire cuire à feu doux pendant 1 minute, jusqu'à ce que le dessous soit bien doré.

3. Retourner le pancake et faire cuire l'autre côté très rapidement, pendant une dizaine de secondes. Mettre sur un plat et garder au chaud pendant la cuisson des autres pancakes. Servir en pile, chauds ou froids, avec du beurre fouetté et du sirop d'érable.

Avec un batteur électrique, fouetter le beurre en crème.

Ajouter le mélange en une seule fois dans le puits formé au centre des ingrédients.

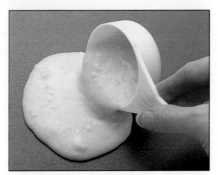

Verser 1/4 de tasse de pâte dans la poêle chauffée et beurrée.

Lorsque le dessous du pancake est doré, le retourner et faire dorer l'autre côté.

Pancakes aux raisins secs

Préparation : 7 mn + 1 à 2 h pour faire
tremper les raisins secs
Cuisson : 18 mn
Pour 6 pancakes

125 g de raisins secs
250 ml d'eau bouillante
110 g de farine complète
1 cuil. à soupe de cassonade

1 cuil. à café 1/2 de cannelle en
poudre
1 cuil. à café de levure chimique
1/2 cuil. à café de bicarbonate
de soude
2 œufs
250 ml de lait

1. Mettre les raisins dans un bol et les
faire tremper de 1 à 2 heures. Bien les
égoutter.
2. Tamiser la farine dans un grand bol
et remettre le son. Ajouter le sucre, la
cannelle, la levure chimique et le bicarbonate de soude et faire un puits au
centre. Mélanger les œufs et le lait dans
un pot et verser dans le puits en
remuant pour former une pâte lisse.
Ajouter les raisins.
3. Faire chauffer une poêle (antiadhésive de préférence), la beurrer ou l'huiler
légèrement. Verser 1/2 tasse de pâte
dans la poêle et faire cuire, jusqu'à ce
que des bulles se forment à la surface et
que le dessus soit un peu sec. La retourner et faire dorer l'autre côté. Enlever
de la poêle et servir avec du miel ou du
sirop d'érable, et des fruits frais.

Mélanger le sucre, la cannelle, la levure et le
bicarbonate de soude avec la farine.

Faire tremper les raisins pour les faire
gonfler avant de les ajouter à la pâte.

Retourner le pancake lorsque des bulles
se forment à la surface.

Ajouter le sucre et les pépites de chocolat aux ingrédients secs et faire un puits.

Battre les blancs en neige au batteur électrique, dans un bol bien propre.

Verser 1/4 de tasse de pâte dans la poêle beurrée et chauffée.

Mélanger les ingrédients pour faire la sauce au chocolat dans une casserole à feu doux.

Pancakes au chocolat

Préparation : 35 mn
Cuisson : 30 mn
Pour 16 pancakes

250 g de farine avec levure
    incorporée
2 cuil. à soupe de cacao en poudre
1 cuil. à café de bicarbonate de soude
60 g de cassonade
130 g de pépites de chocolat noir
250 ml de lait
250 ml de crème fleurette
2 œufs, légèrement battus
30 g de beurre, fondu
3 blancs d'œufs
Crème fouettée ou glace

Sauce au chocolat
150 g de chocolat noir, en morceaux
30 g de beurre
2 cuil. à soupe de sirop d'érable
100 g de cassonade
125 ml de crème fleurette

1. Tamiser la farine, le cacao et le bicarbonate de soude dans un grand bol. Ajouter le sucre et le pépites de chocolat et faire un puits au centre. Fouetter le lait, la crème, les œufs et le beurre dans un pot et ajouter ce mélange graduellement dans le puits. Remuer pour bien mélanger.

2. Battre les blancs d'œufs en neige, dans un bol bien propre, jusqu'à ce que des becs se forment au bout des fouets. Ajouter une cuillerée à soupe de blanc en neige dans la pâte pour la rendre plus liquide, puis incorporer le reste. Bien mélanger.

3. Faire chauffer la poêle et la beurrer ou l'huiler légèrement. Verser 1/3 de tasse de pâte dans la poêle et faire cuire à feu moyen pour dorer le dessous. Retourner le pancake avec une spatule et faire dorer l'autre côté. Mettre dans un plat et recouvrir avec un torchon pendant la cuisson du reste de la pâte.

4. **Sauce au chocolat :** mettre tous les ingrédients dans une casserole et remuer à feu doux pour faire fondre et obtenir une consistance onctueuse. Servir les pancakes chauds avec de la crème fouettée ou de la glace, et arroser de sauce au chocolat.

Pancakes aux myrtilles

Préparation : 10 à 15 mn
Cuisson : 18 mn
Pour 6 pancakes

250 g de farine
2 cuil. à café de levure chimique
1 cuil. à café de bicarbonate de soude
1 cuil. à café de sel
90 g de sucre
2 œufs
80 g de beurre, fondu
300 ml de lait
300 g de myrtilles, fraîches
    ou surgelées

1. Tamiser la farine, la levure chimique, le bicarbonate de soude et le sel dans un grand bol. Ajouter le sucre et faire un puits au centre. Avec une fourchette, battre les œufs, le beurre fondu et le lait dans un pot et verser dans le puits en remuant pour humidifier la farine (ajouter un peu de lait pour obtenir une pâte plus liquide). Ajouter délicatement les myrtilles.
2. Faire chauffer la poêle et la graisser légèrement. Verser 1/2 tasse de pâte dans la poêle et étaler pour faire un pancake de 15 cm de diamètre. Faire cuire à feu doux jusqu'à ce que des bulles apparaissent.
3. Retourner les pancakes délicatement et faire cuire l'autre côté. Disposer sur une assiette et recouvrir d'un torchon pour les garder au chaud pendant la cuisson des autres pancakes. Ils sont délicieux chauds, arrosés de sirop d'érable, de crème et de myrtilles fraîches.

Secrets du chef
Note : si vous utilisez des myrtilles congelées, ne les décongelez pas.

Fouetter les œufs, le beurre fondu et le lait ensemble avec une fourchette.

Avec une cuillère en métal, incorporer délicatement les myrtilles à la pâte.

Utiliser le dos de la cuillère pour égaliser le pancake dans la poêle.

Pancakes au citron et aux bananes

Préparation : 10 à 15 mn
Cuisson : 15 mn
Pour 6 pancakes

150 g de farine avec levure
   incorporée, tamisée
60 g de sucre

1/2 cuil. à café de bicarbonate de soude
1/4 de cuil. à café de sel
Zeste d'un citron finement râpé
250 ml de lait
2 œufs
2 bananes, coupées en fines rondelles
60 g de beurre, fondu

1. Tamiser la farine, le sucre, le bicarbonate de soude et le sel dans un grand bol. Ajouter le zeste de citron et faire un puits au centre. Battre ensemble le lait et les œufs dans un pot et verser dans le puits, en fouettant pour former une pâte bien lisse. Incorporer les bananes et le beurre fondu.

2. Faire chauffer une poêle et la beurrer ou l'huiler légèrement. Verser 1/2 tasse de pâte dans la poêle et faire cuire le pancake, jusqu'à ce que des bulles apparaissent à la surface.

3. Retourner délicatement le pancake et faire cuire l'autre côté. Disposer sur une assiette et recouvrir d'un torchon pour garder chaud pendant la cuisson des autres pancakes. Saupoudre de sucre glace et servir avec une salade de fruits frais.

Ajouter le zeste de citron aux ingrédients secs et faire un puits au centre.

Incorporer les bananes et le beurre fondu.

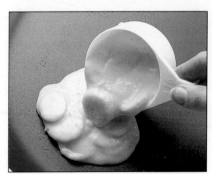

Verser 1/2 tasse de pâte à la banane pour chaque pancake.

Pancakes épicés et leur sauce à la cannelle

Préparation : 20 mn + 10 mn de repos
Cuisson : 20 à 30 mn
Pour 12 pancakes

60 g de farine avec levure
   incorporée
60 g de farine
2 cuil. à café de mélange d'épices
1/2 cuil. à café de cardamome en
   poudre
1 cuil. à soupe de cassonade
250 ml de lait
2 œufs
Framboises fraîches, pour servir

Crème à la cannelle
90 g de crème fraîche
2 cuil. à soupe de yaourt nature
1 cuil. à soupe de miel ou de sirop
   d'érable
1/4 de cuil. à café de cannelle en poudre

1. Tamiser ensemble les farines, les épices et le sucre dans un grand bol et faire un puits au milieu. Mélanger le lait et les œufs dans un pot et verser dans le puits, en fouettant pour obtenir une pâte lisse. Recouvrir de film fraîcheur et laisser reposer 10 minutes.
2. Crème à la cannelle : mélanger tous les ingrédients dans un petit bol, recouvrir et mettre au réfrigérateur.
3. Faire chauffer une poêle et la beurrer ou l'huiler légèrement (utiliser une poêle antiadhésive de préférence). Verser 2 cuillerées à soupe de pâte dans la poêle, tourner délicatement pour former un pancake de 12 cm de diamètre environ. Faire cuire à feu moyen pendant 1 minute, jusqu'à ce que des bulles

apparaissent à la surface et que le dessous soit doré. Retourner et faire dorer l'autre côté. Disposer sur une assiette et recouvrir d'un torchon pour garder au chaud pendant la cuisson du reste de la pâte. Servir chaud avec de la crème à la cannelle et des framboises fraîches, puis saupoudrer de sucre glace.

Verser les ingrédients liquides dans le puits formé au centre des ingrédients secs.

Pour préparer la crème à la cannelle, mélanger les ingrédients dans un petit bol.

Verser 2 cuil. à soupe de pâte dans la poêle chauffée et huilée.

Pancakes à la banane

Préparation : 15 mn
Cuisson : 30 mn
Pour 15 pancakes

250 g de farine avec levure
   incorporée
1/2 cuil. à café de noix de muscade
   en poudre
1/4 de tasse de sucre en poudre
2 œufs
125 ml de lait

250 g de crème fraîche légère
480 g de bananes écrasées
125 g de beurre, fouetté
Sirop d'érable, pour servir

1. Tamiser la farine et la noix de muscade dans un grand bol et ajouter le sucre. Fouetter les œufs et le lait dans un pot et ajouter à la crème fraîche et aux bananes. Remuer pour obtenir une consistance onctueuse.

2. Faire chauffer la poêle, la beurrer ou l'huiler légèrement et verser environ 1/4 de tasse de pâte. Remuer la poêle pour former un pancake de 10 cm de diamètre. Faire cuire environ 2 minutes, jusqu'à ce que des bulles apparaissent à la surface.

3. Retourner le pancake et faire cuire de 1 à 2 minutes, jusqu'à ce qu'il soit doré. Disposer sur une assiette et recouvrir d'un torchon pour garder chaud pendant la cuisson des autres pancakes. Servir avec une cuillerée de beurre fouetté et arroser de sirop d'érable.

Secrets du chef

Note : pour fouetter le beurre, le laisser à température ambiante et le mettre dans un petit bol. Battre en crème avec un batteur électrique ou une cuillère en bois.

Tamiser la farine avec levure incorporée et la noix de muscade dans un grand bol.

Ajouter les ingrédients liquides, la crème fraîche et les bananes écrasées.

Avec le dos de la cuillère, étaler le pancake dans la poêle.

Pancakes au brie et aux épinards

Préparation : 35 mn
Cuisson : 50 mn
Pour 4 à 6 personnes

1 cuil. à café de levure chimique
1 bonne pincée de sel
185 g de farine
2 œufs
600 ml de lait
60 g de beurre
90 g de cheddar râpé
1 pincée de noix de muscade
500 g de feuilles d'épinards
230 g de brie réfrigéré et coupé en
    tranches fines
2 tomates, coupées en tranches fines
2 cuil. à soupe de parmesan, râpé

1. Tamiser la levure chimique, le sel et 1 tasse de farine dans un grand bol et faire un puits au milieu. Fouetter les œufs et la moitié du lait dans un pot et verser dans le puits en battant pour bien mélanger.

2. Faire chauffer une poêle et la beurrer ou l'huiler. Verser 1/4 de tasse de pâte dans la poêle et faire cuire jusqu'à ce que des petites bulles se forment à la surface et que le dessous soit doré. Retourner et faire cuire l'autre côté. Mettre sur une assiette et recouvrir d'un torchon pendant la cuisson du reste des pancakes.

3. Faire fondre le beurre dans une casserole, ajouter le reste de la farine et faire cuire 2 minutes. Ajouter le reste du lait et porter le mélange à ébullition, en remuant pour le faire épaissir. Ajouter le fromage, la noix de muscade, le sel et du poivre à volonté. Enlever du feu lorsque

le fromage est fondu et que la sauce est onctueuse.

4. Préchauffer le four à 200 °C (th. 6). Préparer les épinards et bien les laver. Les mettre dans une casserole avec un peu d'eau et faire cuire à la vapeur. Laisser refroidir légèrement et les égoutter en les pressant avec les mains.

Déchirer les feuilles en petits morceaux.

5. Faire alterner les pancakes et les épinards, le brie et les tomates en terminant par un pancake. Verser la sauce au fromage dessus en recouvrant bien les côtés. Saupoudrer de parmesan et faire cuire de 25 à 30 minutes. Couper en quatre.

Verser les ingrédients liquides dans le puits au centre des ingrédients secs, et fouetter.

Ajouter le fromage, la noix de muscade, le sel et le poivre à la sauce.

Mettre les épinards préparés dans une casserole, recouvrir et faire cuire à la vapeur.

Pancakes aux haricots rouges à la salsa et au guacamole

Préparation : 20 mn
Cuisson : 30 mn
Pour 4 personnes

250 g de farine avec levure
    incorporée
500 ml de babeurre
2 œufs
60 g de beurre, fondu
300 g de haricots rouges en boîte,
    égouttés

Salsa

4 grosses tomates, finement hachées
1 petit oignon rouge, finement haché
2 petits piments, finement hachés
1 cuil. à soupe de coriandre fraîche,
    hachée
1/2 poivron vert, finement haché

Guacamole

1 gros avocat
2 cuil. à café de jus de citron
1 cuil. à café de sauce de piment
2 cuil. à soupe de crème fraîche
1/2 tasse de cheddar râpé

1. Préchauffer le four à 200 °C (th. 6). Mettre la farine, le babeurre, les œufs et le beurre dans un mixeur et mixer 10 secondes pour obtenir une consistance onctueuse. Verser dans un bol et ajouter les haricots.
2. Faire chauffer une poêle antiadhésive, la beurrer et l'huiler légèrement. Verser 1/4 de tasse de pâte dans le fond de la poêle et faire dorer à feu moyen. Retourner et faire dorer l'autre côté. Mettre sur un plat et recouvrir pendant la cuisson des autres pancakes. Couper chaque pancake en quartiers et badigeonner d'huile. Disposer dans un plat allant au four à revêtement antiadhésif. Faire cuire 15 minutes au four pour les rendre croustillantes.
3. Salsa : mélanger tous les ingrédients et mettre au réfrigérateur.

4. Guacamole : écraser les avocats dans un bol pour obtenir une pâte lisse. Ajouter le jus de citron, la sauce au piment et la crème fraîche. Servir les haricots, les quartiers de pancakes et la salsa. Poser une cuillerée de guacamole sur le dessus et ajouter le cheddar râpé.

Utiliser une cuillère en métal pour incorporer délicatement les haricots rouges.

Lorsque tous les pancakes sont cuits, les couper en minces quartiers.

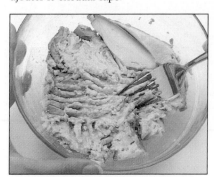

Écraser les avocats avec une fourchette pour obtenir une consistance bien lisse.

Rouleaux croustillants au crabe

Préparation : 25 mn
Cuisson : 25 mn
Pour 8 pancakes

1 cuil. à café de levure chimique
125 g de farine
1 bonne pincée de sel
2 œufs
350 ml de lait

Garniture

1 boîte de crabe de 345 g
1 œuf, battu
1/4 de cuil. à café de sel
2 cuil. à soupe de Maïzena
2 cuil. à soupe de crème de coco
2 cuil. à soupe de feuilles de coriandre
    hachée
45 g de pousses de soja
1 œuf, battu

Préparation pour paner

1 œuf, battu
2 cuil. à soupe de lait
Farine
2/3 de tasse de chapelure
Huile pour la friture

1. Tamiser la levure chimique, la farine et le sel dans un grand bol et faire un puits au centre. Fouetter les œufs et le lait dans un pot et verser dans le puits. Fouetter pour bien mélanger. Faire chauffer une poêle et la beurrer ou l'huiler légèrement. Verser 1/4 de tasse de pâte dans la poêle. Faire cuire à feu moyen, jusqu'à ce que le dessous soit bien doré. Retourner et faire dorer l'autre côté. Enlever du feu et mettre sur un plat. Le recouvrir d'un torchon pendant la cuisson des autres pancakes.

2. **Garniture :** mélanger le crabe, l'œuf, le sel, la Maïzena, la crème de coco, la coriandre et les pousses de soja. Disposer une quantité égale de garniture dans chaque pancake, replier les bords et faire un petit rouleau bien serré. Badigeonner le bord d'œuf battu pour faire tenir.

3. **Préparation pour paner :** battre ensemble le lait et l'œuf. Passer les rouleaux dans la farine et les plonger dans l'œuf battu, puis les rouler dans la chapelure. Faire chauffer l'huile à feu moyen à vif et y plonger les petits rouleaux, un ou deux à la fois. Égoutter sur un essuie-tout et servir immédiatement avec des quartiers de citron ou de citron vert.

Secrets du chef

Note : on peut aussi préparer ces petits rouleaux un peu à l'avance et les mettre au réfrigérateur, et les faire frire au dernier moment.

Conseil : pour enrouler facilement les pancakes, il est préférable d'ajouter du lait à la pâte pour la rendre plus légère.

Fouetter les ingrédients liquides et secs pour obtenir une consistance presque lisse.

Rouler les pancakes garnis en repliant les bords pour former un rouleau.

Recouvrir les rouleaux de farine, puis d'œuf battu, et les passer dans la chapelure.

Faire dorer l'aubergine à feu vif.

Incorporer l'aubergine et le basilic à la pâte.

Pancakes aux aubergines et à la purée de patates douces

Préparation : 40 mn
Cuisson : 20 mn + 20 mn de repos
Pour 4 pancakes

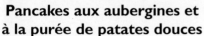

1 grosse aubergine, coupée en dés
    (environ 450 g)
60 ml d'huile d'olive
50 g de polenta
60 g de farine
1/4 de cuil. à café de levure chimique
2 cuil. à café de zeste de citron vert
    râpé
250 ml de lait
2 œufs
2 cuil. à soupe de basilic coupé en
    lamelles

Purée de patates douces

30 g de beurre
1 cuil. à soupe de gingembre frais râpé
1 oignon, finement haché
500 g de patates douces, coupées en dés
3 cuil. à soupe de jus d'orange

1 bâton de cannelle
250 g de ricotta fraîche

1. Saler généreusement l'aubergine et faire dégorger pendant 20 minutes. Rincer et essuyer avec un essuie-tout. Faire chauffer l'huile dans une poêle et faire dorer l'aubergine à feu vif. Égoutter sur un essuie-tout et laisser refroidir.
2. Tamiser la polenta, la farine et la levure dans un bol et faire un puits au centre. Fouetter le zeste de citron vert, le lait et les œufs dans un pot et verser le mélange dans le puits. Fouetter pour bien mélanger. Incorporer l'aubergine et le basilic.
3. Purée de patates douces : faire dorer l'oignon et le gingembre dans une casserole avec le beurre, à feu moyen, pendant 3 minutes. Ajouter la patate douce et faire cuire pour bien ramollir. Ajouter le jus d'orange et le bâton de cannelle. Couvrir et laisser mijoter, jusqu'à ce que les patates douces soient bien cuites. Enlever la cannelle. Écraser les patates douces et ajouter à la polenta.
4. Faire chauffer la poêle huilée ou beurrée et verser 1/4 de tasse de pâte. Faire cuire à feu moyen pendant 2 minutes, jusqu'à ce que le pancake soit bien doré. Retourner et

Lorsque les patates douces sont ramollies, enlever le bâton de cannelle.

Verser 1/4 de tasse de pâte à l'aubergine dans la poêle et faire frire.

faire dorer l'autre côté. Enlever de la poêle et continuer avec le reste de pâte. Servir avec la purée de patates douces.

Pancakes à la salade de betteraves et fromage de chèvre

Préparation : 20 mn + 20 mn de repos
Cuisson : 30 mn
Pour 4 personnes

60 g de farine avec levure
   incorporée
75 g de farine complète
1/2 cuil. à café de cumin en poudre
1/2 cuil. à café de coriandre en poudre
1/2 cuil. à café de cannelle en poudre
2 cuil. à café de zeste d'orange râpé
250 ml de lait
2 œufs
100 g de fromage de chèvre

Salade de betteraves
1 bouquet de petites betteraves dont
   on garde 2 cm de tige
1 oignon rouge, coupé en fins quartiers
1 cuil. à café de sucre
2 cuil. à soupe de vinaigre balsamique
2 cuil. à soupe de menthe hachée

1. Tamiser les farines et les épices dans un bol. Ajouter le zeste d'orange et faire un puits au centre. Fouetter le lait et les œufs dans un pot et verser le mélange dans le puits, en fouettant pour bien mélanger. Recouvrir et laisser reposer pendant 20 minutes.

2. Salade de betterave : faire cuire les betteraves dans l'eau bouillante pendant 15 minutes, jusqu'à ce qu'elles soient tendres. Enlever la peau et couper les betteraves en quartiers. Les mettre dans un bol avec l'oignon rouge, le sucre et le vinaigre balsamique. Bien mélanger et réfrigérer.

3. Faire chauffer une poêle et la beurrer ou l'huiler. Verser 2 cuillères à soupe de pâte et faire cuire à feu moyen pendant 1 minute, jusqu'à ce que le dessous soit bien doré. Retourner et faire dorer l'autre côté. Enlever de la poêle et recouvrir d'un torchon pendant la cuisson des autres pancakes. Empiler les pancakes sur des assiettes et recouvrir avec des tranches de fromage de chèvre. Saupoudrer de poivre grossièrement moulu. Ajouter la menthe hachée à la salade et servir avec les pancakes.

Faire un puits dans les ingrédients secs, ajouter les ingrédients liquides et fouetter.

Ôter la peau des betteraves cuites avec les doigts.

Lorsque le dessous du pancake est doré, la retourner et faire dorer l'autre côté.

Pancakes à la ciboulette et à la crème de truite fumée

Préparation : 15 mn
Cuisson : 10 mn
Pour 6 pancakes

Crème de truite fumée
250 g de truite fumée, sans les arêtes
   ni la peau
150 g de fromage frais crémeux
125 g de crème fraîche
2 oignons nouveaux, finement hachés
1 cuil. à soupe de jus de citron ou de
   citron vert

125 g de farine
1 cuil. à café de sucre
1 cuil. à café de zeste de citron
1 œuf
20 g de beurre, fondu
250 ml d'eau
1/4 de tasse de ciboulette hachée

1. **Crème de truite fumée :** préparer
6 petits morceaux de truite fumée à garnir. Mettre le reste de truite et les autres
ingrédients pour la crème dans un bol et
battre pour obtenir une pâte lisse. Ajouter à volonté du poivre gris grossièrement moulu, et laisser reposer.
2. Mettre la farine, le sucre et le zeste de
citron dans un mixeur. Mixer rapidement pour bien mélanger. Continuer à
mixer et ajouter le mélange d'œuf, de
beurre et d'eau pour obtenir une consistance onctueuse. Verser dans un bol et
incorporer délicatement la ciboulette.
3. Faire chauffer une poêle et la beurrer ou
l'huiler. Ajouter 1/4 de tasse de pâte dans
la poêle en la tournant pour recouvrir le
fond de la poêle. Faire cuire pendant
1 minute, jusqu'à ce que le dessous soit
doré, puis retourner le pancake pour faire
dorer l'autre côté. Mettre dans une assiette et recouvrir avec un torchon pendant la
cuisson du reste des pancakes.
4. Partager la crème de truite fumée
entre les pancakes et les replier en
petites pochettes. Servir avec les morceaux de truites et garnir de quartiers de
citron vert.

Secrets du chef
Conseil : la crème de truite fumée peut se
préparer 1 heure avant de servir. Garder
couvert, au réfrigérateur.

Utiliser un couteau pour enlever la peau
et les arêtes des truites fumées.

Mélanger la truite, le fromage blanc, la crème fraîche, les oignons nouveaux et le jus.

En continuant de mixer, ajouter graduellement le mélange d'œuf et de lait.

Partager la pâte de truite fumée entre les
pancakes et les replier en petites pochettes.

Pochette de canard pékinois

Préparation : 40 mn + 30 mn de repos
Cuisson : 15 à 20 mn
Pour 12 pochettes

125 g de farine
30 g de Maïzena
3 œufs
170 ml de lait
170 ml d'eau
30 g de beurre, fondu
4 oignons nouveaux, finement hachés
1 canard grillé à la pékinoise
2 carottes, coupées en julienne
    (voir Note)
1 branche de céleri, coupée en
    julienne
6 oignons nouveaux, coupés en
    julienne
1 concombre libanais, coupé en
    julienne
Sauce Hoisin

1. Mettre la farine, la Maïzena, les œufs, le lait, l'eau et le beurre dans un mixeur. Mixer 15 à 20 secondes pour bien mélanger et obtenir une consistance onctueuse. Verser la pâte dans un pot et laisser reposer pendant 30 minutes.
2. Faire chauffer une poêle antiadhésive beurrée ou huilée. Verser environ 1/4 de tasse de pâte dans la poêle et la tourner pour recouvrir tout le fond. Verser l'excédent dans le pot (attention que la pâte ne soit pas trop liquide).
3. Saupoudrer le pancake de quelques oignons nouveaux hachés. Faire cuire

pendant 30 secondes, retourner le pancake et faire cuire l'autre côté. Le mettre sur une assiette et recouvrir avec un torchon pendant la préparation des autres pancakes.
4. Désosser la viande et une partie de la peau croustillante du canard, la couper en lamelles et laisser la peau. Partager en douze portions et laisser de côté. Ébouillanter les carottes et le céleri pendant 2 minutes. Égoutter et faire refroidir à l'eau froide. Essuyer sur un essuie-tout. Mélanger les carottes et le céleri coupés en julienne, le concombre et l'oignon nouveau et partager en 12 portions.
5. Mettre un pancake sur la surface de travail et recouvrir d'oignon nouveau. Replier 1/3 du pancake en dessous et arroser d'une cuillère à café de sauce Hoisin. Disposer la viande et un peu de peau croustillante au centre du pancake, en laissant le tiers sans garniture.
6. Disposer les légumes en lamelles sur la viande en les laisser dépasser du pancake. Replier la base et les côtés pour former une pochette. Fermer avec un peu de sauce Hoisin. Continuer avec le reste des pancakes.

Secrets du chef
Note : les légumes coupés en julienne nécessitent un couteau très aiguisé, pour obtenir des lamelles de la largeur d'une allumette. Ils sont cuits très rapidement en les passant quelques minutes à l'eau bouillante pour garder leur couleur.
Variante : on peut aussi utiliser du poulet barbecue à la pékinoise, ou du porc coupé en fines tranches.
Note : choisir les légumes selon vos préférences et ajouter des pousses de soja.

Couper les carottes, le céleri, les oignons nouveaux et le concombre en julienne.

Verser de la pâte au fond de la poêle. Les pancakes ne doivent pas être trop fins.

Répartir l'oignon nouveau sur le pancake avant de le faire cuire.

Désosser la viande en gardant la peau
croustillante du canard.

Arroser de sauce Hoisin les 2/3 du
pancake.

Replier le pancake pour former une
pochette.

Mini pancakes

Mini pancakes à la confiture et à la crème

Préparation : 15 mn
Cuisson : 10 mn
Pour 18 pancakes

125 g de farine avec levure
    incorporée
1 pincée de sel
1 cuil. à soupe de sucre en poudre
180 ml de lait
1 œuf
Confiture et crème fouettée,
    pour servir

1. Tamiser la farine, le sel et le sucre dans un grand bol et faire un puits au centre. Fouetter le lait et l'œuf dans un pot et verser lentement dans le puits en fouettant pour obtenir une pâte lisse.

2. Faire chauffer la poêle (antiadhésive de préférence) et la beurrer ou l'huiler légèrement.

3. Verser quelques cuillerées de pâte dans le fond de la poêle et laisser assez de place entre chaque mini pancake (quatre, environ). Faire cuire à feu moyen pendant 20 secondes, jusqu'à ce que des petites bulles apparaissent à la surface et que le dessous soit doré.

4. Retourner les pancakes et faire dorer l'autre côté. Disposer sur un plat ou sur une grille pour laisser refroidir. Continuer avec le reste de pâte. Servir les pancakes avec de la confiture et de la crème fouettée.

Secrets du chef
Note : ces pancakes sont délicieux avec des fruits au sirop.

Verser les ingrédients liquides mélangés dans le puits au centre des ingrédients secs.

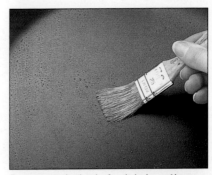

Beurrer ou huiler le fond de la poêle.

Verser des cuillerées à soupe de pâte en laissant assez de place entre chacun.

Lorsque des bulles se forment à la surface, retourner les pancakes.

Pancakes à la ricotta, aux noix et au sirop d'érable

Préparation : 10 à 15 mn
Cuisson : 15 mn
Pour 10 pancakes

90 g de noix coupées en
    morceaux
3 œufs
2 cuil. à soupe de sucre en poudre
250 g de ricotta
1 cuil. à café de zeste de citron râpé
30 g de farine, tamisée
50 g de beurre, fondu
Sirop d'érable et fraises, pour servir

1. Répartir les noix sur une plaque tapissée de papier d'aluminium et les faire passer au gril préchauffé pendant 1 ou 2 minutes, pour les faire dorer. Laisser refroidir et couper en petits morceaux.
2. Fouetter ensemble les œufs et le sucre dans un bol. Ajouter la ricotta et le zeste de citron en battant, pour obtenir une consistance onctueuse.
3. Ajouter la farine en une seule fois dans le bol et verser le beurre fondu sur le côté du bol. Remuer pour bien mélanger, mais ne pas trop travailler la pâte.
4. Faire chauffer la poêle et la beurrer ou l'huiler légèrement. Verser des cuillerées à soupe de pâte et répartir pour former des petits pancakes de 6 cm de diamètre, en laissant de la place entre chacun d'eux. Faire cuire 2 à 3 minutes, jusqu'à ce que des petites bulles apparaissent sur le dessus et que les pancakes semblent fermes. Les retourner et faire dorer l'autre côté. Disposer sur une assiette et recouvrir d'un torchon pour garder au chaud pendant le reste de la cuisson. Servir chaud avec du sirop d'érable, saupoudrer de noix grillées et ajouter des fraises fraîches.

Secrets du chef

Note : toutes sortes de noix peuvent être utilisées pour cette recette (noisettes, noix de macadamia, noix de pécan ou amandes). Les passer au four permet de dégager toute leur saveur et de se débarrasser facilement de la peau. Les mettre dans un torchon et les frotter délicatement pour les émonder.

Passer les noix quelques minutes au gril, sur un papier d'aluminium.

Ajouter la ricotta dans le mélange d'œuf et de sucre.

Ajouter la farine en une seule fois et verser le beurre fondu sur le côté du bol.

Répartir la pâte dans la poêle pour former de petits pancakes de 6 cm chacun.

Remuer le café en poudre, le sucre et le Kahlua jusqu'à dissolution du sucre.

Verser graduellement le mélange de Kahlua et de café dans la crème, en remuant.

Ajouter le mélange à l'œuf graduellement dans les ingrédients secs et bien mélanger.

Faire cuire jusqu'à ce que des bulles se forment à la surface des pancakes.

Pancakes à la crème de Kahlua

Préparation : 25 mn
Cuisson : 20 mn
Pour 15 à 20 pancakes

Crème de Kahlua

2 cuil. à café de café instantané
2 cuil. à soupe de sucre en poudre
60 ml de Kahlua
300 ml de crème fleurette,
    légèrement fouettée
60 ml d'eau bouillante
1 cuil. à soupe d'expresso instantané
1/4 de cuil. à café de cannelle en poudre
250 g de farine avec levure
    incorporée
100 g de cassonade
2 œufs
250 g de lait
Fraises fraîches, pour servir

1. Crème de Kahlua : mélanger l'expresso instantané, le sucre et le Kahlua dans une petite casserole. Remuer à feu doux jusqu'à ce que le sucre soit dissous. Laisser refroidir et ajouter la crème graduellement, en remuant, jusqu'à l'obtention d'une consistance onctueuse. Recouvrir et réfrigérer jusqu'au moment de servir.
2. Verser l'eau bouillante sur le café instantané et la cannelle dans un bol. Remuer pour bien faire dissoudre et laisser de côté.
3. Tamiser la farine dans un bol et ajouter le sucre. Faire un puits au centre. Fouetter les œufs, le lait et le café refroidi dans un pot et verser graduellement dans le puits. Fouetter pour bien mélanger et obtenir une pâte lisse. Verser des cuillerées à soupe de pâte dans la poêle en laissant assez de place entre chaque pancake.
4. Faire cuire à feu moyen, jusqu'à ce que le dessous soit bien doré et que des petites bulles se forment à la surface. Retourner et faire cuire l'autre côté. Disposer sur une assiette et recouvrir d'un torchon pour garder chaud pendant la cuisson des autres pancakes. Servir avec des fraises et la crème de Kahlua, saupoudré de cacao en poudre.

Secrets du chef

Note : on peut remplacer l'expresso instantané par du café en poudre, mais la saveur n'est pas aussi riche.

Pancakes aux fruits rouges et à la liqueur de myrtilles

Préparation : 15 mn + 4 h de macération
Cuisson : 15 mn
Pour 25 à 30 pancakes

150 g de myrtilles
150 de framboises
80 ml de liqueur de myrtilles
125 g de farine avec levure incorporée
1 bonne pincée de sel
1 œuf
60 g de sucre

180 ml de lait
25 g de beurre, fondu
150 g de mascarpone

1. Mélanger les myrtilles, les framboises et la liqueur dans un bol. Recouvrir et réfrigérer pendant 4 heures en remuant délicatement deux ou trois fois. (On peut aussi laisser macérer toute une nuit).
2. Tamiser la farine et le sel dans un bol et faire un puits au centre.
3. Battre ensemble l'œuf et le sucre pour obtenir un mélange épais et ajouter le lait en continuant à battre. Verser dans le puits avec le beurre fondu, et fouetter pour que la pâte soit presque lisse.
4. Faire chauffer la poêle (antiadhésive de préférence), et la beurrer ou l'huiler. Verser des cuillerées à soupe de pâte dans la poêle en laissant assez de place entre les pancakes. Faire cuire à feu moyen jusqu'à ce que des bulles se forment à la surface et que le dessous soit doré. Retourner les pancakes et faire cuire l'autre côté. Les disposer sur une grille pour les laisser refroidir pendant la cuisson du reste de la pâte. Répartir le mascarpone généreusement sur chaque pancake et ajouter les fruits. Arroser légèrement de liqueur avant de servir.

Secrets du chef
Note : remplacer les fruits frais par des fruits en boîte, mais bien les égoutter.

Tamiser la farine et le sel dans un bol avant de faire un puits au centre.

Avec une cuillère en bois, faire un puits au centre des ingrédients secs.

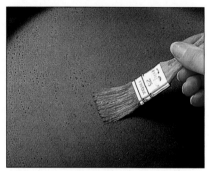

Beurrer ou huiler légèrement la poêle.

Mini pancakes aux myrtilles

Préparation : 15 mn
Cuisson : 20 mn
Pour environ 24 pancakes

125 g de farine avec levure incorporée
2 cuil. à soupe de sucre en poudre
1 œuf
20 g de beurre, fondu

1 cuil. à café d'essence de vanille
180 ml de lait
150 g de myrtilles fraîches

1. Tamiser la farine dans un bol et ajouter le sucre en poudre. Faire un puits au centre.
2. Fouetter ensemble l'œuf, le beurre, l'essence de vanille et le lait et verser dans le puits. Fouetter pour bien mélanger. Ne pas trop travailler la pâte. Ajouter les myrtilles en remuant délicatement.
3. Faire chauffer la poêle et la beurrer ou l'huiler. Verser des cuillerées à soupe de pâte dans la poêle, en laissant assez de place entre chaque pancake. Faire cuire jusqu'à ce que des bulles se forment à la surface et que le dessous soit doré. Retourner les pancakes et faire dorer l'autre côté. Disposer sur une assiette et garder chaud pendant la cuisson du reste de la pâte. Servir chaud avec du sirop d'érable ou du miel.

Secrets du chef
Conseil : garder les pancakes au chaud sous un torchon ou au four préchauffé à 150 °C (th. 2).

Mélanger l'œuf, le beurre, l'essence de vanille et le lait dans un pot.

Ajouter les myrtilles à la pâte et remuer délicatement pour bien mélanger.

Cuire les pancakes jusqu'à ce que des bulles se forment à la surface et les retourner.

Pancakes aux fruits rouges et à la liqueur de myrtilles (ci-dessus) et mini pancakes aux myrtilles.

Pancakes aux pommes de terre et à la crème

Préparation : 20 mn
Cuisson : 20 mn
Pour 8 pancakes

3 pommes de terre moyennes
   (environ 500 g)
2 cuil. à soupe de ciboulette hachée
2 cuil. à soupe d'oignon râpé
2 œufs, légèrement battus
30 g de farine avec levure
   incorporée
Huile, pour la friture
Crème fraîche et ciboulette,
   pour servir

1. Éplucher et râper grossièrement les pommes de terre et égoutter en pressant dans les mains. Mettre dans un bol et ajouter la ciboulette, l'oignon, les œufs, la farine tamisée, le sel et le poivre. Bien remuer.

2. Faire chauffer de l'huile (1 cm dans la poêle) à feu moyen.

3. Verser 1/4 de tasse de cette pâte dans l'huile chaude et faire cuire deux ou trois pancakes à la fois pendant 3 ou 4 minutes, pour dorer le dessous. Retourner les pancakes et faire dorer l'autre côté pendant 2 ou 3 minutes. Égoutter sur un essuie-tout, disposer sur un plat et mettre au four à 160 °C (th. 2 à 3) pendant la cuisson du reste de la pâte. Servir chaud avec de la crème fraîche, saupoudré de ciboulette hachée.

Presser les pommes de terre râpées pour que la pâte devienne croustillante.

Mélanger les ingrédients.

Retourner les pancakes lorsque le dessous est doré.

Bouchées aux graines de sésame

Préparation : 35 mn
Cuisson : 15 à 20 mn
Pour environ 15 bouchées

90 g de farine avec levure
    incorporée
2 cuil. à soupe de graines de sésame
1 cuil. à café de zeste d'orange râpé
1 œuf
1 cuil. à café d'huile de sésame
1/2 tasse de lait
2 cuil. à soupe de jus d'orange
60 g de tomates séchées, hachées

Garniture
100 g de fromage frais crémeux
1 cuil. à soupe de coriandre hachée

1. Tamiser la farine et une pincée de sel dans un bol. Ajouter les graines de sésame préalablement grillées, le zeste d'orange et faire un puits au centre. Avec une fourchette, fouetter l'œuf, l'huile de sésame, le lait et le jus d'orange dans un pot et verser dans le puits en fouettant pour obtenir une consistance presque lisse. Laisser reposer 15 minutes.

2. Faire chauffer une poêle antiadhésive et la beurrer ou l'huiler légèrement. Verser 1/3 de tasse de pâte dans la poêle et faire cuire à feu moyen pendant 3 ou 4 minutes, jusqu'à ce que des bulles se forment à la surface et que le dessous soit doré. Retourner les pancakes et faire dorer l'autre côté. Disposer sur une assiette et recouvrir d'un torchon pendant la cuisson du reste de la pâte.

3. Avec un emporte-pièce à biscuits, découper des petites formes et les superposer sur 3 cm, en les faisant alterner avec de la garniture.

Fouetter l'œuf, l'huile de sésame, le lait et le jus d'orange avec une fourchette.

Verser 1/3 de tasse de pâte dans la poêle.

Retourner le pancake lorsque des bulles se forment à la surface.

Découper des petites formes à l'aide d'un emporte-pièce à biscuits.

4. **Garniture :** mélanger le fromage frais et la coriandre et garnir les petits sandwichs sur trois étages. Décorer avec un petit morceau de tomate séchée.

Pancakes aux épinards, à la feta, aux olives et leur salsa de tomates fraîches

Préparation : 35 mn + 1 h de repos
Cuisson : 15 à 20 mn
Pour 25 pancakes

Salsa de tomates
1 petit piment rouge, épépiné et haché
3 grosses tomates mûres, épluchées, épépinées et concassées
2 oignons nouveaux, coupés en tranches fines

1 petit oignon rouge, finement haché
1 cuil. à soupe de coriandre fraîche
1/2 cuil. à café de poivre grossièrement moulu
1 cuil. à soupe d'huile d'olive légère
1 cuil. à soupe de jus de citron
45 g d'épinards, coupés en lamelles
250 g de farine avec levure incorporée
2 cuil. à soupe de sucre en poudre
40 g d'olives noires coupées en tranches
2 œufs, légèrement battus
375 ml de lait
90 g de feta, émiettée

1. **Salsa de tomates fraîches :** mélanger tous les ingrédients dans un bol, recouvrir et laisser reposer pendant 1 heure.
2. Laver, faire sécher et couper les épinards en lamelles. Tamiser la farine dans un bol, ajouter le sucre, les épinards et les olives. Bien mélanger. Ajouter les œufs et le lait. Mélanger pour obtenir une pâte presque lisse. Ajouter la feta et poivrer à volonté.
3. Faire chauffer la poêle et la beurrer ou l'huiler. Verser des cuillerées à soupe de pâte dans la poêle, en laissant assez de place entre chaque pancake. Faire cuire jusqu'à ce que des bulles se forment à la surface et que le dessous soit doré. Retourner les pancakes et faire dorer l'autre côté. Disposer sur une assiette pendant la cuisson du reste de la pâte. Servir avec la salsa de tomates.

Porter des gants pour hacher finement le piment, le jus pouvant irriter la peau.

A l'aide d'un couteau bien aiguisé, couper les feuilles d'épinards en lamelles.

Ajouter la feta émiettée dans la pâte et poivrer à volonté.

Épépiner le poivrons et enlever la membrane blanche.

Enlever la peau noircie du poivron grillé.

Ajouter le babeurre en une seule fois dans le puits, au centre des ingrédients secs.

Verser le poivron, le maïs et la ciboulette dans la pâte.

Pancakes aux poivrons et au prosciutto

Préparation : 40 mn
Cuisson : 25 mn
Pour 20 pancakes

1 petit poivron rouge
125 g de farine
1/2 cuil. à café de bicarbonate de soude
320 ml de babeurre
1 œuf
50 g de beurre, fondu
130 g de maïs en boîte, égoutté
1 cuil. à soupe de ciboulette finement hachée
250 ml de crème fraîche
5 tranches de prosciutto, coupé en lamelles
Ciboulette hachée, pour servir

1. Épépiner et enlever la membrane blanche du poivron. Le couper en grosses lamelles et le mettre au gril, la peau vers le haut. Faire cuire 10 minutes pour le noircir. Le mettre dans un sac congélation pendant 10 minutes, enlever la peau et le hacher finement.
2. Tamiser la farine, le bicarbonate de soude et une pincée de sel dans un bol et faire un puits au centre. Fouetter le babeurre, l'œuf et le beurre fondu dans un pot et verser dans le puits en une seule fois. Remuer et ajouter le poivron, le maïs et la ciboulette. Ne pas trop travailler la pâte.
3. Faire chauffer la poêle et la beurrer ou l'huiler. Verser 2 cuillerées à soupe de pâte dans la poêle, en laissant assez de place entre chaque pancake. Faire cuire jusqu'à ce que des bulles se forment à la surface et que le dessous soit doré. Retourner les pancakes et faire dorer l'autre côté.
4. Disposer les pancakes sur une assiette et recouvrir d'un torchon pour garder au chaud pendant la cuisson du reste de pâte. Garnir chaque pancake d'une cuillerée à café de crème fraîche et de quelques lamelles de prosciutto et de ciboulette.

Pancakes au saumon fumé, aux poivrons rouges et au coulis de tomates

Préparation : 1 h
Cuisson : 25 mn
Pour 6 personnes

**Coulis de tomates
et de poivrons rouges**
6 tomates mûres
1 gros poivron rouge
1 petit piment rouge épépiné et
    finement haché (facultatif)
15 g de basilic fraîchement haché

125 g de farine avec levure
    incorporée
15 g d'aneth frais haché
1 œuf
20 g de beurre, fondu
185 ml de lait
200 g de saumon fumé
250 ml de crème fraîche
Aneth frais, pour garnir

1. Coulis de tomate et de poivrons rouges : entailler une croix à la base de chaque tomate avec un couteau bien aiguisé. Disposer les tomates dans un bol d'eau bouillante et laisser 2 minutes. Égoutter et les plonger dans un bol d'eau froide. Les peler à partir de l'entaille et les couper en deux horizontalement. Épépiner avec une cuillère à café. Hacher très finement et mettre dans un bol.
2. Couper les poivrons en deux, les épépiner et enlever la peau interne. Les

recouper en quatre, les aplatir un peu et les placer sous le gril préchauffé, la peau sur le dessus, pendant 10 minutes pour les noircir. Les mettre dans un sac en plastique ou les recouvrir avec un torchon pendant 10 minutes pour enlever facilement la peau. Les couper en petits dés très fins et ajouter aux tomates. Ajouter aussi le piment, le basilic et le poivre gris fraîchement moulu, à volonté.
3. Tamiser la farine dans un bol, ajouter l'aneth et faire un puits au centre. Fouetter l'œuf, le beurre fondu et le lait dans un pot et verser dans le puits en remuant, jusqu'à ce que la pâte soit presque lisse.
4. Faire chauffer la poêle et la beurrer ou l'huiler. Verser des cuillerées à soupe de pâte dans la poêle en laissant assez de place entre chaque pancake. Faire cuire jusqu'à ce que des bulles se forment à la surface et que le dessous soit doré.
5. Retourner les pancakes et faire dorer l'autre côté. Disposer sur une assiette et les recouvrir d'un torchon pendant la cuisson des autres pancakes. En faire une douzaine, environ.
6. Disposer un pancake au centre de chaque assiette. Garnir de saumon et recouvrir d'une cuillerée à soupe de crème fraîche. Recouvrir d'un autre pancake et servir en arrosant généreusement de coulis de tomates et de poivrons, puis décorer avec un brin d'aneth.

Secrets du chef
Note : on peut remplacer le saumon fumé par du gravlax, une spécialité scandinave à base de filets de saumon frottés de sel et de sucre et laissés sous pression pendant 2 jours. C'est délicieux mais assez onéreux.

Couper les tomates en deux et les épépiner avec une cuillère à café.

Faire griller les poivrons pendant 10 minutes pour les faire noircir.

Ajouter les poivrons coupés en petits dés aux tomates concassées.

Tamiser la farine dans un bol et ajouter l'aneth fraîchement haché.

Faire un puits au centre des ingrédients secs et ajouter les ingrédients liquides.

Verser des cuillerées à soupe de pâte dans la poêle chauffée.

Crêpes

Crêpes au sucre, au citron et à la crème

Préparation : 20 mn + 30 mn de repos
   pour la pâte
Cuisson : 20 à 25 mn
Pour environ 14 crêpes

125 g de farine
1 œuf
300 ml de lait
30 g de beurre
Sucre, citrons et crème

1. Tamiser la farine et une pincée de sel dans un grand bol, puis faire un puits au centre. Ajouter graduellement l'œuf et le lait mélangés, et fouetter pour obtenir une pâte lisse sans grumeaux. Recouvrir et laisser reposer 30 minutes.

2. Verser la pâte dans un pot afin de pouvoir la verser facilement dans la poêle. Faire chauffer une poêle antiadhésive. Mettre du beurre sur deux ou trois épaisseurs d'essuie-tout, et en faire un tampon pour beurrer légèrement la poêle.

3. Verser un peu de pâte dans la poêle, en la tournant pour en recouvrir le fond et enlever l'excédent de pâte. Ajouter 2 ou 3 cuil. à soupe de lait à la pâte si elle est trop épaisse. Faire cuire pendant 20 secondes, jusqu'à ce que les bords commencent à se relever, et retourner la crêpe pour dorer légèrement l'autre côté. Disposer sur une assiette et garder chaud pendant la cuisson du reste de la pâte. Repasser le tampon beurré dans le fond de la poêle si nécessaire.

4. Saupoudrer les crêpes de sucre et d'un peu de jus de citron, puis les plier en quatre. En disposer 2 ou 3 sur chaque assiette et ajouter une cuillerée de crème.

Tamiser la farine et le sel dans un grand bol.

Verser le mélange d'œuf et de lait dans le puits et battre pour obtenir une pâte lisse.

Beurrer la poêle à l'aide d'un tampon de papier.

Faire cuire la crêpe pendant 20 secondes, jusqu'à ce que les bords se relèvent.

Crêpes à la liqueur et à l'orange

Préparation : 30 mn + 30 mn de repos
Cuisson : 30 à 40 mn
Pour 12 à 14 crêpes

125 g de farine
1 cuil. à soupe de sucre
125 ml de lait
125 ml d'eau
2 jaunes d'œufs
60 ml de rhum ou de
    brandy
60 g de beurre, fondu

Beurre à l'orange

200 g de beurre ramolli
2 cuil. à soupe de zeste d'orange
    finement râpé
90 g de sucre
2 cuil. à soupe de sucre
    glace
125 ml de jus d'orange
60 ml de Grand Marnier

1. Mixer la farine, le sucre, le lait, l'eau, les jaunes d'œufs, le rhum ou le brandy et le beurre. Lorsque la pâte est bien lisse, la verser dans un pot, couvrir et laisser reposer pendant 30 minutes.
2. **Beurre à l'orange :** mixer le beurre en crème. Ajouter le zeste d'orange, le sucre et le sucre glace et bien mélanger. En continuant de mixer, ajouter le mélange de jus d'orange et de Grand Marnier par 1/2 cuillerée à la fois.
3. Faire chauffer une petite poêle à crêpes et la beurrer légèrement. Verser un peu de pâte dans la poêle, en la tournant pour en recouvrir le fond d'une mince épaisseur. Faire cuire pendant 20 secondes, jusqu'à ce que les bords com-

mencent à se relever, et retourner la crêpe pour dorer légèrement l'autre côté. Repasser le tampon beurré dans le fond de la poêle si nécessaire.
4. Mettre le beurre à l'orange dans une grande poêle et le faire chauffer jusqu'à ce qu'il soit mousseux. À l'aide de pinces, saisir une crêpe à la fois, passer dans la poêle, des deux côtés, et la plier en quatre. Servir avec de la glace.

Secrets du chef

Note : pour les crêpes Suzette traditionnelles, plonger chaque crêpe dans le beurre à l'orange et les plier dans la poêle. Les entasser sur le bord de la poêle et lorsqu'elles y sont toutes, les arroser d'alcool et les faire flamber.

Mettre tous les ingrédients dans le mixeur.

En continuant à battre, ajouter graduellement le jus d'orange et le Grand Marnier.

À l'aide de pinces, passer les crêpes dans le beurre à l'orange et plier en quatre.

Tourner la poêle rapidement pour la recouvrir d'une fine couche de pâte.

Battre la ricotta, les jaunes d'œufs, le sucre
en poudre, le zeste de citron et le jus.

Déposer une cuillerée à soupe de ricotta
sur chaque crêpe et plier.

Mettre les crêpes garnies dans un plat et
les badigeonner de beurre fondu.

Crêpes à la ricotta

Préparation : 30 mn + 1 h de repos
Cuisson : 30 à 40 mn
Pour 14 blintzes

125 g de farine
2 œufs
320 ml de lait
30 g de beurre, fondu

Garniture à la ricotta
60 g de raisins
1 cuil. à soupe de Grand Marnier ou
    de Cointreau
375 g de ricotta fraîche
2 jaunes d'œufs
90 g de sucre en poudre
1 cuil. à soupe de zeste de citron râpé
2 cuil. à soupe de jus de citron
20 g de beurre, fondu
Sucre glace, pour saupoudrer

1. Mixer la farine, les œufs et la moitié du
lait pendant 10 secondes. Ajouter le reste
du lait et du beurre et mixer pour obtenir
une pâte lisse. Laisser reposer 30 minutes.
2. Faire chauffer une poêle. Mettre du
beurre sur deux ou trois épaisseurs d'essuie-
tout et beurrer légèrement la poêle. Verser
un peu de pâte dans la poêle, en la tournant pour en recouvrir le fond et reverser
l'excédent de pâte dans le pot. (Ajouter un
peu de lait à la pâte si elle est trop épaisse).
Faire cuire 20 secondes, jusqu'à ce que les
bords commencent à se relever et retourner la crêpe pour dorer l'autre côté. Disposer sur une assiette et continuer la cuisson.
3. **Garniture à la ricotta :** faire macérer
les raisins secs dans l'alcool pendant
30 minutes. Battre la ricotta, les jaunes
d'œufs, le sucre, le zeste de citron et le jus
pendant 1 à 2 minutes, pour obtenir une
pâte lisse. Ajouter les raisins et l'alcool.
4. Préchauffer le four à 160 °C (th. 2 à 3).
Répartir une cuillerée à soupe de garniture
au centre de chaque crêpe et plier pour former des pochettes. Les poser à l'envers
dans un plat beurré. Les badigeonner légèrement de beurre. Recouvrir avec du
papier d'aluminium et cuire au four de 10
à 15 minutes, pour les réchauffer. Saupoudrer de sucre glace et servir.

Secrets du chef
Conseil : les blintzes à la ricotta peuvent
être préparées plusieurs jours à l'avance et
réchauffées juste avant de servir.

Crêpes à la sauce au caramel et à l'amaretti

Préparation : 40 mn + 30 mn de repos
Cuisson : 1 h
Pour 4 à 6 personnes

125 g de farine
2 œufs
250 ml de lait
1 cuil. à soupe 1/2 de beurre fondu
1 cuil. à soupe d'amaretti (facultatif)
125 g de biscuits amaretti
5 pommes vertes épluchées, dont le
    trognon est enlevé
185 g de beurre
185 g de cassonade
175 g de sirop de sucre de canne
125 ml de crème fleurette
185 g de crème fraîche légère

1. Mixer la farine, les œufs et la moitié du lait pendant 10 secondes au robot. Ajouter le reste du lait, le beurre fondu et l'amaretti et mixer pour obtenir une pâte lisse. Verser dans un pot, couvrir et laisser 30 minutes. Faire chauffer une poêle anti-adhésive et badigeonner de beurre fondu. Verser un peu de pâte dans la poêle, en la tournant pour recouvrir le fond et enlever l'excédent de pâte. Faire cuire pendant 30 secondes et retourner la crêpe pour dorer légèrement l'autre côté. Disposer sur une assiette et continuer avec le reste de pâte. Repasser le tampon beurré dans le fond de la poêle si nécessaire.

2. Préchauffer le four à température moyenne (180 °C). Hacher grossièrement les biscuits au mixeur. Placer sur une plaque à four et faire dorer 5 à 8 minutes, en secouant de temps à autre. Couper les pommes en anneaux très fins puis mélanger avec 60 g de beurre fondu et la moitié de la cassonade. Étaler régulièrement les pommes sur une plaque, déposer sous le gril du four et faire dorer pendant 5 minutes. Retourner et faire griller encore quelques minutes, jusqu'à ce que les pommes soient légèrement dorées. Réserver

3. Mettre une crêpe dans un grand plat allant au four. Répartir quelques tranches de pommes en formant un petit tas au centre et saupoudrer de biscuits amaretti. Poser une crêpe dessus et garnir à nouveau, jusqu'à ce que toutes les crêpes constituent une pile. Couvrir de papier d'aluminium et mettre au four pendant 10 minutes pour réchauffer.

4. Mettre le reste de cassonade, le sirop, la crème et le reste du beurre dans une petite casserole. Remuer à feu doux jusqu'à ce que le sucre soit dissous. Faire mijoter pendant 1 minute. Recouvrir la pile de crêpes de crème fraîche. Arroser d'un peu de sauce et couper en quartiers pour servir.

Faire griller les tranches de pommes pendant 5 minutes et les retourner.

Recouvrir chaque crêpe de pommes et saupoudrer de biscuits amaretti.

Mélanger la cassonade, le sirop de sucre de canne, la crème fraîche et le beurre.

Laisser mijoter les figues. Elles doivent être ramollies, et le liquide réduit aux deux tiers.

Mélanger le mascarpone, la cassonade et la crème.

Faire un puits au centre des ingrédients secs et verser le liquide.

Aumônières à la noix de coco, fourrées aux figues

Préparation : 30 mn
Cuisson : 30 mn
Pour 4 personnes

Figues macérées
375 g de figues séchées
1 cuil. à soupe de cassonade
250 ml de jus d'orange
60 ml de brandy
1 feuille de laurier
3 clous de girofle
1 bâton de cannelle

Crème au mascarpone
150 g de mascarpone
2 cuil. à soupe de cassonade
2 cuil. à soupe de crème fraîche épaisse

60 g de farine
2 œufs
1 cuil. à café de liqueur de coco
2 cuil. à soupe d'huile
185 ml de lait
60 g de noix de coco, râpée

1. **Figues macérées** : mettre tous les ingrédients dans une poêle. Laisser mijoter pendant 20 minutes, ou jusqu'à ce que les figues soient ramollies et le liquide réduit aux deux tiers.
2. **Crème au mascarpone** : mélanger le mascarpone, la cassonade et la crème.
3. Mettre dans un grand bol la farine tamisée ainsi qu'une pincée de sel. Faire un puits au centre et y incorporer les œufs, la liqueur et la noix de coco, l'huile et le lait. Remuer jusqu'à l'obtention d'un mélange mousseux.
4. Faire chauffer une petite poêle à crêpes et beurrer légèrement. Verser 60 ml de pâte dans la poêle, en la tournant pour en recouvrir le fond. Faire cuire pendant 1 minutes à feu modéré, puis retourner pour dorer l'autre côté. Disposer sur une assiette et garder au chaud pendant la cuisson du reste de la pâte.
5. Déposer quelques figues au centre de chaque crêpe. Remonter les bords pour enfermer les figues et les maintenir fermés en les nouant avec une ficelle. Saupoudrer de sucre glace et servir avec de la crème au mascarpone.

Secret du chef
Note : le mascarpone est un fromage italien, doux et crémeux, originaire de Lombardie.

Utiliser une spatule pour soulever la crêpe et la retourner.

Crêpes sushi

Préparation : 1 h
Cuisson : 30 mn
Pour environ 40 sushi

Crêpes aux œufs
4 œufs
2 cuil. à soupe d'eau froide
1 pincée de sel

Sushi
220 g de riz rond
500 ml d'eau
2 cuil. à soupe de vinaigre de riz
1 cuil. à soupe de sucre
1 cuil. à café de sel
1 cuil. à soupe de mirin ou de sherry
    sec
Un peu de wasabi
125 g de sashimi au thon, coupé en
    fines lamelles
1 petit concombre, épluché et coupé
    en bâtonnets
1/2 avocat, épluché et coupé en
    bâtonnets
3 cuil. à soupe de gingembre au
    vinaigre, coupé en fines lamelles
Sauce de soja

1. Crêpes aux œufs : mettre les œufs, l'eau et le sel dans un bol et battre lentement pour bien mélanger. Faire chauffer une petite poêle à crêpes et verser un peu de pâte dans la poêle, en la tournant pour en recouvrir le fond et enlever l'excédent de pâte. Faire cuire à feu doux pendant 1 minute. Ne pas faire dorer les crêpes. Les retourner et laisser cuire 1 minute l'autre côté. Disposer sur une assiette et faire cuire le reste de la pâte.

2. Sushi : mettre le riz et l'eau dans une casserole et porter à ébullition. Laisser mijoter pendant 5 minutes, jusqu'à ce que des petits tunnels se forment à la surface. Si la cuisinière est à gaz, continuer la cuisson à feu très doux pendant 7 minutes, ou jusqu'à ce que toute l'eau soit absorbée. Si la cuisinière est électrique, enlever la casserole du feu, couvrir et continuer à faire cuire le riz à la vapeur pendant 10 à 12 minutes (cela empêchera le riz de coller au fond de la casserole et de brûler).

3. Mélanger le vinaigre de riz, le sucre, le sel et le mirin dans un pot et incorporer au riz en remuant délicatement. Répartir le riz sur un plat à four antiadhésif et laisser refroidir à température ambiante.

4. Mettre une crêpe aux œufs sur une natte souple ou sur un morceau de papier sulfurisé. Étaler 4 cuillerées à soupe de riz au sushi sur un tiers de la crème à l'aide d'une spatule ou du dos d'une cuillère.

5. Mettre un peu de wasabi sur le milieu du riz, en prenant soin de ne pas trop en mettre car c'est très fort. Mettre le thon, le concombre, l'avocat et le gingembre au vinaigre sur le wasabi.

6. À l'aide de la natte souple ou du papier sulfurisé, former un rouleau avec la crêpe en pressant fermement pour bien tasser la garniture dans la crêpe. Couper en rouleau de 2 cm avec un couteau très aiguisé. Servir avec la sauce de soja.

Secrets du chef

Conservation : les crêpes au sushi peuvent se préparer à l'avance et se conserver dans une boîte fermée hermétiquement, au réfrigérateur. Couper au moment de servir pour ne pas les dessécher.

Conseil : si le riz colle aux mains, les tremper dans un mélange de 2 cuil. à soupe de vinaigre de riz et 3 cuil. à soupe d'eau.

Note : le wasabi et le gingembre au vinaigre se trouvent dans les épiceries asiatiques.

Couper le thon, le concombre et l'avocat en petits bâtonnets de taille égale.

Verser assez de pâte pour recouvrir le fond de la poêle d'une fine crêpe.

Faire cuire le riz jusqu'à ce que des petits tunnels se forment à la surface.

À l'aide d'une cuillère en métal incorporer la sauce au riz.

Étaler 4 cuil. à soupe de riz sur 1/3 de la crêpe.

Rouler la crêpe fermement à l'aide d'une natte souple ou d'un papier sulfurisé.

Crêpes aux courgettes et à la crème au citron vert

Préparation : 40 mn
Cuisson : 30 à 40 mn
Pour 4 personnes

2 courgettes, coupées en rubans
60 g de farine
1 pincée de sel
1 gousse d'ail, écrasée
2 œufs
1 cuil. à café d'huile de sésame
1 cuil. à café d'huile végétale
185 ml de lait
1 cuil. à soupe de graines de sésame
    grillées

Crème au yaourt et au citron vert
1 cuil. à soupe de citron vert
1 cuil. à café de cumin en poudre
200 ml de yaourt nature

1. Ébouillanter les rubans de courgettes pendant 2 minutes, ou jusqu'à ce qu'ils soient seulement ramollis. (Ne pas faire trop cuire car ils risqueraient de se déchirer). Bien égoutter.
2. Tamiser la farine et le sel dans un bol et faire un puits au centre. Fouetter ensemble l'ail, les œufs, les huiles, le lait et les graines de sésame dans un pot. Verser dans le puits et mélanger avec les ingrédients secs en fouettant jusqu'à ce que la pâte soit bien lisse. Y incorporer les rubans de courgettes.
3. Préchauffer le four à 220 °C (th. 7). Faire chauffer une petite poêle, la badigeonner légèrement d'huile et y verser 1/4 de tasse de pâte. Tourner pour en recouvrir le fond. À l'aide de pinces, saisir les rubans de courgettes et les disposer à plat sur la pâte. Faire cuire à feu moyen pendant 1 minute, jusqu'à ce que le dessous soit doré. Retourner la crêpe et faire cuire l'autre côté. Mettre dans une assiette et recouvrir d'un torchon pendant la cuisson du reste de la pâte. Couper les crêpes en fins quartiers et poser sur une plaque antiadhésive. Huiler légèrement les petits quartiers et laisser cuire au four pendant 20 minutes, jusqu'à ce qu'ils soient croustillants.
4. **Crème au yaourt et au citron vert :** mélanger le citron vert, le cumin et le yaourt dans un bol. Servir les quartiers de crêpes avec le bol de crème comme hors-d'œuvre, ou avec un apéritif.

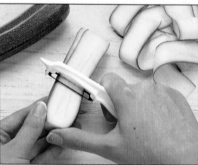

Faire des rubans de courgettes à l'aide d'un économe.

Fouetter les éléments liquides et ajouter à la farine pour obtenir une pâte onctueuse.

À l'aide de pinces, saisir les rubans de courgette et les disposer sur la pâte.

Répartir les quartiers de pâtes sur une plaque antiadhésive et badigeonner d'huile.

Petites bourses au satay

Préparation : 40 mn
Cuisson : 30 à 35 mn
Pour 4 personnes

Garniture de porc
1 cuil. à café d'huile de sésame
1 cuil. à café d'huile d'arachide
1 gousse d'ail, écrasée
1 cuil. à soupe de gingembre frais
    râpé
1 petit piment rouge, finement haché
250 g de viande de porc hachée
230 g de châtaignes d'eau en boîte,
    hachées
1 cuil. à soupe de beurre d'arachide
1 cuil. à café de jus de citron vert
1 cuil. à café de sauce de poisson
6 ciboulettes, ébouillantées
150 g de farine complète
1 œuf
30 g de beurre, fondu
375 ml de babeurre

1. **Garniture à la viande de porc :** faire chauffer l'huile de sésame dans une poêle, ajouter l'ail, le gingembre et le piment et faire cuire à feu moyen pendant 3 minutes. Ajouter la viande de porc et faire cuire à feu vif, en remuant pour bien la détacher et la dorer. Ajouter les châtaignes d'eau, le beurre d'arachide, le citron vert et la sauce de poisson. Continuer la cuisson pendant 3 minutes, jusqu'à ce que le mélange soit bien chaud. Enlever du feu et laisser légèrement refroidir.

2. Tamiser la farine et une pincée de sel dans un bol et incorporer à nouveau le son. Faire un puits au centre. Fouetter l'œuf, le beurre et le babeurre dans un pot et verser graduellement dans le puits, en fouettant jusqu'à ce que la pâte

soit bien lisse. (On peut aussi la mélanger au mixeur).

3. Faire chauffer une poêle à crêpes ou une poêle antiadhésive, et la beurrer légèrement. Verser 1/4 de tasse de pâte pour recouvrir le fond de la poêle. Faire cuire à feu moyen pendant 1 minute, jusqu'à ce que le dessous soit doré. Retourner et faire dorer l'autre côté.

Enlever et recouvrir pendant la cuisson du reste de la pâte. Beurrer la poêle à nouveau, si nécessaire.

4. Partager la garniture selon le nombre de crêpes. Étaler sur chaque crêpe et la replier pour faire des petites bourses. Attacher avec une feuille de ciboule, sans trop serrer pour ne pas déchirer la crêpe. Servir immédiatement.

Ajouter les châtaignes, le beurre d'arachide, le citron, la sauce de poisson à la viande.

Tamiser la farine dans un bol et y remettre le son.

Verser 1/4 de tasse dans la poêle et la faire tourner pour recouvrir le fond.

Croissants au saumon fumé et à l'aneth

Préparation : 30 mn + 30 mn de repos
Cuisson : 15 à 20 mn
Pour 64 croissants

90 g de farine
1 œuf entier
1 jaune d'œuf
250 ml de lait
20 g de beurre, fondu
2 cuil. à soupe d'aneth fraîchement
    haché

Garniture au saumon

125 g de crème fraîche
1 cuil. à café d'oignon râpé
1 cuil. à soupe de crème de raifort
1 cuil. à soupe de mayonnaise
1 cuil. à café de jus de citron
2 cuil. à soupe d'aneth fraîchement
    haché
100 g de saumon fumé, haché

1. Mixer la farine, l'œuf, le jaune d'œuf et la moitié du lait pendant 10 secondes et ajouter le reste du lait, le beurre et l'aneth ; continuer à mixer pour obtenir une pâte bien lisse. La verser dans un pot, couvrir et laisser reposer pendant 30 minutes.
2. Chauffer une poêle à crêpes et badigeonner de beurre fondu. Y verser environ 1/4 de tasse de pâte, en la tournant rapidement pour recouvrir le fond. (Ajouter du lait si la pâte est trop épaisse). Verser l'excédent de pâte dans le pot. Faire cuire la crêpe pendant 30 secondes et la retourner pour faire dorer l'autre côté. Mettre sur une assiette et recouvrir d'un torchon pendant la cuisson du reste de la pâte.
3. Garniture au saumon : mélanger la crème fraîche, l'oignon, la crème de raifort, la mayonnaise, le jus de citron, l'aneth et assaisonner de poivre gris à volonté. Ajouter le saumon. Répartir sur chaque crêpe une cuillerée à soupe de garniture, et couper en 8 triangles. Enrouler chaque triangle pour former un croissant, en commençant par le côté le plus large. Recouvrir et réfrigérer jusqu'au moment de servir.

Mixer le reste du lait, le beurre fondu et l'aneth.

Mixer tous les ingrédients pour préparer la garniture au saumon.

Former des croissants en enroulant les triangles.

Ajouter les éléments liquides aux ingrédients secs et fouetter.

Couper les oignons nouveaux en deux, dans la longueur, et les ébouillanter.

Disposer les oignons nouveaux sur le dessus de crêpe avant qu'elle ne soit cuite.

Garnir les crêpes et les replier pour former des petites pochettes.

Crêpes aux oignons de printemps et au porc chinois

Préparation : 20 mn
Cuisson : 10 à 15 mn
Pour 4 personnes

125 g de farine
1 pincée de sel
2 œufs
30 g de beurre, fondu
250 ml de lait
8 oignons nouveaux, coupés en deux dans la longueur
3 cuil. à soupe de sauce Hoisin
500 g de viande de porc cuite au barbecue, à la chinoise
1 poignée de feuilles de coriandre

1. Tamiser la farine et une pincée de sel dans un bol et faire un puits au centre. Fouetter les œufs, le beurre et le lait dans un pot et verser dans le puits. Continuer à battre pour obtenir une crème. (On peut aussi mixer ces ingrédients).

2. Ébouillanter les oignons nouveaux pendant 2 minutes pour les ramollir, en prenant soin qu'ils gardent leur couleur. Rincer à l'eau froide et bien égoutter.

3. Faire chauffer une poêle à crêpes et la beurrer. Ajouter un peu de pâte en tournant délicatement la poêle pour en recouvrir le fond. Verser l'excédent dans le pot. Disposer quelques oignons nouveaux sur la pâte avant qu'elle ne soit cuite. Faire cuire à feu moyen pendant 1 minute. Lorsque le dessous de la crêpe est doré, la retourner et faire cuire l'autre côté. La mettre sur une assiette et couvrir avec un torchon pour la garder chaude pendant la cuisson du reste de la pâte.

4. Mettre les crêpes sur une surface de travail, les oignons en dessous et arroser d'un peu de sauce Hoisin. Ajouter les lamelles de viande de porc et quelques feuilles de coriandre. Replier pour former des petites pochettes.

Secrets du chef

Note : acheter la viande de porc dans une boucherie chinoise et demander au boucher de la couper en lamelles.

45

Gaufres

Gaufres à la sauce au chocolat

Préparation : 20 mn
Cuisson : 15 à 20 mn
Pour 8 gaufres

250 g de farine avec levure incorporée
1 cuil. à café de bicarbonate de soude
2 cuil. à café de sucre
2 œufs
140 g de beurre
440 ml de babeurre
200 g de chocolat noir, haché
125 ml de crème fleurette
1 cuil. à soupe de sirop de canne à sucre

1. Préchauffer le moule à gaufres. Tamiser la farine, le bicarbonate de soude, le sucre et une pincée de sel dans un grand bol et faire un puits au centre. Fouetter les œufs, 90 g de beurre fondu et le babeurre dans un pot et verser graduellement dans le puits en fouettant pour obtenir une pâte lisse. Laisser reposer pendant 10 minutes.
2. Mettre le reste de beurre, le chocolat, la crème et le sirop dans une casserole. Remuer à feu doux pour obtenir un mélange onctueux. Enlever du feu et garder chaud.
3. Beurrer le moule à gaufres et verser 1/2 tasse de pâte au centre. La répartir sur la surface du moule.
4. Fermer le couvercle et faire cuire 2 minutes. Lorsque la gaufre est dorée et croustillante, la poser sur une assiette et la recouvrir d'un torchon pour la garder au chaud pendant la cuisson du reste de la pâte. Servir avec de la glace à la vanille et la crème au chocolat chaude.

Ajouter peu à peu les éléments liquides dans le puits au milieu des ingrédients secs.

Mélanger le reste de beurre, le chocolat, la crème fleurette et le sirop.

Verser 1/2 tasse de pâte dans le moule à gaufres bien chaud.

Faire cuire la gaufre pendant 2 minutes, jusqu'à ce qu'elle soit dorée et croustillante.

Gaufres garnies de compote à la rhubarbe et de crème à la cannelle

Préparation : 25 mn
Cuisson : 30 mn
Pour 4 personnes

1 botte de rhubarbe, hachée
125 g de sucre en poudre
150 g de farine avec levure incorporée
125 g de farine
2 cuil. à café de levure chimique
3 cuil. à soupe de cassonade

2 œufs
100 g de beurre, fondu
440 ml de babeurre
1 cuil. à soupe de zeste d'orange râpé

Crème à la cannelle
300 ml de crème fleurette
1 cuil. à café d'essence de vanille
1 cuil. à café de cannelle en poudre

1. Mettre la rhubarbe et le sucre dans une casserole contenant 125 ml d'eau. Faire cuire à feu doux jusqu'à ce que le sucre soit dissous. Porter à ébullition et continuer à feu doux de 7 à 10 minutes, jusqu'à ce que la rhubarbe soit bien ramollie et commence à se défaire.
2. Préchauffer le moule à gaufres. Tamiser les farines et la levure chimique dans un bol et remettre le son. Ajouter la cassonade et faire un puits au centre. Mélanger les œufs, le beurre, le babeurre et le zeste d'orange et verser dans le puits en fouettant pour obtenir une pâte lisse. (Ajouter un peu de lait si la pâte est trop épaisse).
3. Beurrer les deux surfaces du moule à gaufres. Verser 1/2 tasse de pâte au centre du moule et la répartir sur toute la surface. Fermer le moule et faire cuire de 3 à 5 minutes, jusqu'à ce que la gaufre soit dorée et croustillante. Garder au chaud pendant la cuisson du reste de la pâte.
4. **Crème à la cannelle :** battre la crème, l'essence de vanille et la cannelle jusqu'à ce que des becs se forment sur le fouet. Servir avec les gaufres et la rhubarbe.

Faire cuire la rhubarbe à feu doux, jusqu'à ce qu'elle soit ramollie.

Ajouter les ingrédients liquides dans le puits au centre des ingrédients secs.

Faire cuire la gaufre de 3 à 5 minutes, jusqu'à ce qu'elle soit dorée et croustillante.

Fouetter les œufs, l'essence de vanille, le lait de soja et le beurre dans un pot.

Badigeonner les deux surfaces du moule avec du beurre fondu.

Verser la pâte sur la surface du moule et la répartir avec le dos d'une cuillère.

Ajouter délicatement les bananes à la sauce caramel.

Gaufres aux macadamia, aux bananes et à la sauce caramel

Préparation : 35 mn
Cuisson : 30 mn
Pour 4 gaufres

250 g de farine
2 cuil. à café de levure chimique
125 g de noix de macadamia, grillées et hachées grossièrement
45 g de cassonade
2 œufs
1 cuil. à café d'essence de vanille
440 ml de lait de soja
50 g de beurre, fondu
150 ml de crème épaisse

Bananes à la sauce caramel
50 g de beurre
100 g de cassonade
1 cuil. à soupe de brandy
300 ml de crème fleurette
4 bananes, coupées en longueur

1. Faire chauffer le moule à gaufres.

Tamiser la farine et la levure dans un bol et ajouter les noix de macadamia et la cassonade. Faire un puits au centre. Fouetter les œufs, l'essence de vanille, le lait de soja et le beurre et verser graduellement dans le puits, en fouettant pour obtenir une pâte presque lisse.
2. Beurrer les deux surfaces du moule à gaufres et le faire chauffer. Verser 1/2 tasse de pâte au centre et la répartir à la surface du moule. Le fermer et faire cuire 4 minutes, jusqu'à ce que la gaufre soit dorée et croustillante. Enlever du moule et garder au chaud pendant la cuisson du reste de la pâte.
3. **Bananes à la sauce caramel :** faire fondre le beurre dans une poêle, à feu moyen. Ajouter la cassonade et faire cuire 3 minutes pour la faire dissoudre. Ajouter le brandy et la crème, et porter à ébullition. Continuer la cuisson à feu doux pendant 3 minutes. Ajouter les bananes et faire cuire pendant 2 minutes, jusqu'à ce qu'elles soient légèrement dorées.
4. Couper les gaufres en quartiers et servir avec de la crème épaisse et les bananes au caramel.

Secrets du chef
Conseil : remplacer les noix de macadamia par des noix de pécan, des noisettes ou des amandes et les bananes par des pommes ou des poires.

Gaufres aux flocons d'avoine, aux bananes et au yaourt

Préparation : 20 mn
Cuisson : 25 mn
Pour 5 gaufres

250 g de yaourt nature
60 ml de jus d'orange
2 cuil. à soupe de miel
1 cuil. à soupe de zeste de citron râpé
1/2 cuil. à café de gingembre frais râpé
75 g de flocons d'avoine
85 g de farine
1 cuil. à café de levure chimique
1/2 cuil. à café de bicarbonate de soude
2 œufs
185 ml de lait
2 cuil. à soupe d'huile
1 cuil. à café d'essence de vanille
1 banane bien mûre, écrasée

1. Mélanger le yaourt, le jus d'orange, le miel, le zeste de citron et le gingembre dans un bol. Couvrir et réfrigérer.
2. Préchauffer le moule à gaufres. Mélanger les flocons d'avoine, la farine, la levure chimique et le bicarbonate de soude et faire un puits au centre. Fouetter les œufs, le lait, l'huile et l'essence de vanille dans un pot. Ajouter les bananes et battre pour bien mélanger. Verser dans le puits et battre pour obtenir une pâte presque lisse.
3. Badigeonner le moule à gaufres de beurre fondu. Verser 1/2 tasse de pâte dans le centre du moule et bien la répartir. Faire cuire de 4 à 5 minutes, jusqu'à ce que les gaufres soient dorées et croustillantes. Garder au chaud pendant la cuisson du reste de la pâte. Servir chaud avec le yaourt au miel et garnir de bananes fraîches.

Ajouter les bananes écrasées à la préparation aux œufs.

Verser les ingrédients liquides au centre des éléments secs et fouetter pour mélanger.

Verser une bonne 1/2 tasse de pâte au centre du moule.

Gaufres au moka
et au sirop de café

Préparation : 30 mn
Cuisson : 30 à 40 mn
Pour 8 gaufres

Sirop au café
185 g de sucre en poudre
125 ml d'expresso
60 ml de crème fleurette
250 g de farine
2 cuil. à soupe de cacao en poudre
2 cuil. à café de levure chimique

1/2 cuil. à café de sel
320 ml de lait
2 cuil. à soupe d'essence de chicorée
   et de café
125 g de sucre en poudre
3 œufs, jaunes et blancs séparés
60 g de beurre, fondu

1. Sirop au café : mettre le sucre, l'expresso, la crème et 3 cuillerées à soupe d'eau dans une petite casserole. Porter à ébullition et continuer à feu doux de 4 à 5 minutes. Laisser refroidir.

2. Préchauffer le moule à gaufres. Tamiser la farine, le cacao, la levure chimique et le sel dans un grand bol. Ajouter le lait, l'essence de chicorée, le sucre, les jaunes d'œufs et le beurre et fouetter en crème. Battre les œufs en neige dans un bol propre, jusqu'à ce que des becs se forment au bout du fouet. Ajouter une cuillerée à soupe d'œufs en neige à la pâte et mélanger pour la rendre moins épaisse, puis ajouter le reste des blancs.

3. Badigeonner le moule à gaufres de beurre fondu. Verser 1/2 tasse de pâte dans le centre du moule et bien la répartir. Faire cuire de 4 à 5 minutes, jusqu'à ce que les gaufres soient dorées. Garder chaud pendant la cuisson du reste de la pâte. Verser des cuillerées de sirop de café sur les gaufres et servir avec de la crème fouettée, des copeaux de chocolat et saupoudrer de cacao tamisé.

Mélanger le sucre, le café, la crème et l'eau dans une casserole.

Verser la préparation au lait dans les ingrédients secs et fouetter pour bien mélanger.

Répartir la pâte avec le dos d'une cuillère à la surface du moule.

Gaufres au yaourt et aux pistaches et leur sauce aux myrtilles

Préparation : 35 mn
Cuisson : 20 à 30 mn
Pour 4 personnes

Sauce aux myrtilles

300 g de myrtilles fraîches
350 ml d'eau
1 bâton de cannelle
90 g de sirop de sucre de
    canne
2 cuil. à soupe de cassonade
1 cuil. à café de zeste de citron
    râpé
Yaourt nature, pour servir

125 g de farine
125 g de farine avec levure
    incorporée
2 cuil. à soupe de sucre
    en poudre
1/2 cuil. à café de noix de muscade
100 g de pistaches finement
    hachées
600 g de yaourt au miel
2 œufs, jaunes et blancs séparés
60 g de beurre, fondu

1. **Sauce aux myrtilles :** mettre les myrtilles, le bâton de cannelle et l'eau dans une petite casserole. Faire cuire à feu doux pendant 15 minutes. Sortir du feu et enlever le bâton de cannelle. Ajouter le sirop de sucre de canne, la cassonade et le zeste de citron et remuer délicatement, jusqu'à ce que le sucre soit dissous. Bien mélanger et laisser refroidir.

2. Préchauffer le moule à gaufres. Tamiser les farines dans un grand bol. Ajouter le sucre, la noix de muscade et les pistaches et faire un puits au centre. Fouetter le yaourt, les jaunes d'œufs et le beurre dans un pot et verser lentement dans le puits, en fouettant toujours pour obtenir une pâte presque lisse.

3. Battre les œufs en neige dans un bol propre, avec le batteur électrique, jusqu'à ce que des becs se forment au bout des fouets.

4. Verser une cuillerée de blanc en neige dans la pâte pour la rendre moins épaisse et incorporer le reste des blancs.

5. Badigeonner le moule à gaufres de beurre fondu. Verser 1/2 tasse de pâte dans le centre du moule et bien la répartir.

6. Fermer le moule et faire cuire de 3 à 4 minutes, jusqu'à ce que la gaufre soit dorée. Enlever du moule et garder au chaud pendant la cuisson du reste de la pâte. Verser les myrtilles au citron sur les gaufres et servir avec une cuillerée à soupe de yaourt.

Secrets du chef

Conseil : pour que les gaufres soient bien croustillantes, les passer sous le gril ou au grille-pain.

Note : pour préparer le yaourt, mettre 3 tasses de lait écrémé ou entier dans une casserole et faire bouillir, jusqu'à ce que la surface soit mousseuse ; continuer la cuisson à feu doux pendant 2 minutes. Laisser tiédir. Mélanger 2 cuillerées à soupe de yaourt nature avec un peu de lait chaud et ajouter le reste du lait. Verser dans un bol en Pyrex ou dans des pots stérilisés et fermer hermétiquement. Laisser le yaourt dans un endroit chaud pendant 6 heures (envelopper les récipients dans un torchon), pour laisser prendre. Réfrigérer environ 2 heures avant de servir.

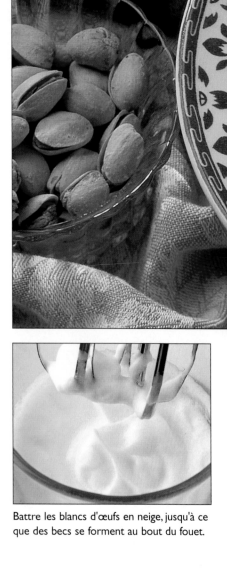

Ajouter le sirop de cure de canne, la cassonade et le zeste de citron aux myrtilles.

Ajouter le sucre, la noix de muscade et les pistaches à la farine.

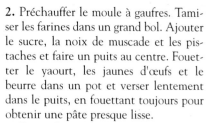

Battre les blancs d'œufs en neige, jusqu'à ce que des becs se forment au bout du fouet.

Incorporer le reste des blancs en neige avec une cuillère et remuer délicatement.

Répartir la pâte à la surface du moule à gaufres.

Fermer le moule et faire cuire la gaufre pendant 3 ou 4 minutes.

Desserts rapides

Des amis arrivent à l'improviste et vous n'avez rien à leur offrir. Pensez aux délicieuses petites gaufres que vous avez préparées en suivant la recette de la page 47, et que vous avez pris soin de congeler (vous pouvez les garder jusqu'à 1 mois au congélateur). Faites-les décongeler et passez-les au gril ou au grille-pain pour les rendre croustillantes. Mais s'il ne vous reste que des gaufres achetées dans le commerce, préparez-les avec une garniture allé-chante, comme vous l'indiquent les recettes ci-dessous.

Gaufres au sirop d'érable

Fouetter 1/4 de tasse de lait et 2 œufs dans un plat creux et y plonger 4 à 6 gaufres, une à la fois. Les laisser quelques secondes de chaque côté pour qu'elles absorbent le mélange sans deve-nir trop spongieuses. Faire fondre un peu de beurre dans une poêle antiadhésive. Lorsque le beurre commence à mousser, disposer deux ou trois gaufres dans la poêle et faire cuire 2 à 3 minutes de chaque côté, jusqu'à ce qu'elles soient bien dorées et croustillantes et que le mélange à l'œuf soit bien pris. Sau-poudrer de sucre glace et garnir de glace à la vanille, de sirop d'érable et de fraises fraîches. Servir immédiatement. Pour 4 à 6 personnes.

Gaufres à la cannelle

Passer 4 gaufres sous le gril préchauffé pour les faire dorer. Les badigeonner d'un côté de beurre fondu et saupoudrer de sucre en poudre et de cannelle en poudre. Les remettre sous le gril pendant 30 secondes et les retourner. Garnir de fraises ou de fruits rouges et d'une cuillerée à soupe de mascarpone. Servir immédiatement. Pour 2 à 4 personnes.

Gaufres au caramel

Passer 4 gaufres au grille-pain pour les dorer. Faire chauffer 80 g de beurre dans une poêle antiadhésive. Lorsque le beurre commence à mousser, retourner les gaufres rapidement pour les recouvrir de beurre. Enlever de la poêle et les garder au chaud dans le four très doux, en prenant soin de ne pas les rendre spongieuses. Verser 4 cuillerées à soupe de cassonade dans la poêle et remuer avec le reste du beurre. Ajouter 2/3 de tasse de crème fleurette et 2 cuil. à soupe de rhum ou de brandy. Laisser cuire pendant 1 à 2 minutes. Servir la sauce sur les gaufres et ajouter une boule de crème glacée. Pour 2 à 4 personnes.

Gaufres à la ricotta vanillée

Battre 250 g de ricotta fraîche au batteur électrique pour obtenir une consistance onctueuse. Ajouter 2 à 3 cuil. à café de sucre, 2 cuil. à café d'essence de vanille et un peu de zeste d'orange, de citron ou de citron vert râpé. Battre pour bien mélanger. On peut aussi passer tous les ingrédients au mixeur. Faire dorer 4 gaufres dans un grille-pain et servir avec des pommes cuites à la vapeur ou frites, et la ricotta battue.
Pour 2 à 4 personnes.

À partir du haut à gauche : Gaufres à la cannelle ; Gaufres à la ricotta vanillée ; Gaufres au caramel ; Gaufres au sirop d'érable.

Gaufres aux tomates séchées et à la feta

Préparation : 35 mn
Cuisson : 25 mn
Pour 6 gaufres

130 g de farine de sarrasin
125 g de farine
2 cuil. à café 1/2 de levure chimique
2 œufs
440 ml de lait
100 g de beurre, fondu

100 g de tomates séchées au soleil, hachées
125 g de feta, émiettée

Salade de roquette
150 g de roquette
4 œufs durs, coupés en quatre
50 g de parmesan, en copeaux
2 cuil. à soupe de vinaigre balsamique
2 cuil. à soupe d'huile d'olive

1. Préchauffer le moule à gaufres. Tamiser les farines, la levure chimique et une pincée de sel dans un bol et faire un puits au centre. Fouetter les œufs, le lait et le beurre dans un pot et verser graduellement dans le puits, en fouettant pour obtenir une pâte presque lisse. Incorporer les tomates et la feta.

2. Badigeonner de beurre fondu les deux surfaces du moule. Verser 1/2 tasse de pâte au centre du moule et la répartir dans les coins. Faire cuire pendant 4 minutes jusqu'à ce que la gaufre soit dorée et croustillante. Garder au chaud pendant la cuisson du reste de la pâte.

3. **Salade de roquette :** remuer la salade, les œufs et le parmesan dans un bol. Fouetter le vinaigre balsamique et l'huile, et arroser la salade. Servir avec les gaufres.

Verser les ingrédients liquides dans le puits au centre des ingrédients secs.

Incorporer peu à peu les tomates séchées au soleil et la feta émiettée dans la pâte.

Faire cuire la gaufre pendant 4 minutes, jusqu'à ce qu'elle soit croustillante.

Éplucher et enlever le trognon des pommes et les couper en morceaux.

Faire cuire le mélange de pommes 20 minutes, jusqu'à ce qu'elles soient ramollies.

Verser les ingrédients liquides dans le puits formé au centre des ingrédients secs.

Avec une cuillère en métal, incorporer le reste des blancs en neige.

Gaufres au jambon, au fromage et chutney aux pommes et au piment

Préparation : 45 mn
Cuisson : 30 à 40 mn
Pour 6 gaufres

Chutney aux pommes et au piment

1 cuil. à soupe d'huile
1 oignon, finement haché
1 cuil. à café de graines de cumin
2 pommes vertes, épluchées et dont on a enlevé le trognon, hachées
1 piment vert, finement haché
60 g de raisins secs
2 cuil. à soupe de cassonade
2 cuil. à soupe de vinaigre d'alcool

70 g de beurre
3 oignons nouveaux, finement hachés
250 g de farine
1/2 cuil. à café de levure chimique
90 g de fromage de Leicester, râpé
100 g de jambon fumé, finement haché
2 œufs, jaunes et blancs séparés
350 ml de lait
2 cuil. à café de moutarde de Dijon

1. **Chutney :** faire chauffer l'huile dans une poêle et faire frire l'oignon et les graines de cumin pendant 1 ou 2 minutes. Ajouter les pommes, le piment, les raisins secs, le sucre et le vinaigre. Porter à ébullition et continuer à feu doux, couvert, pendant 20 minutes.
2. Faire chauffer un peu de beurre dans une petite casserole, ajouter les oignons nouveaux et faire frire 1 minute. Ôter du feu.
3. Préchauffer le moule à gaufres. Tamiser la farine et la levure chimique dans un bol. Ajouter le fromage et le jambon et faire un puits au centre. Fouetter les jaunes d'œufs, le lait, la moutarde, les oignons nouveaux, le reste du beurre fondu, le sel et le poivre dans un pot et verser lentement dans le puits, en fouettant jusqu'à ce que la pâte soit bien lisse.
4. Battre les blancs en neige ferme. Incorporer une cuillerée à soupe de blanc en neige dans la pâte pour la rendre moins épaisse, et ajouter le reste. Badigeonner de beurre les deux surfaces du moule et verser 1/2 tasse de pâte au centre. Répartir dans les coins et fermer le moule. Faire cuire pendant 1 à 2 minutes, jusqu'à ce que la gaufre soit dorée. Enlever du moule et garder chaud pendant la cuisson du reste de la pâte. Servir chaud avec le chutney aux pommes et au piment.

Secrets du chef

Note : le chutney peut se préparer une semaine à l'avance et se conserver dans un bocal hermétique, au réfrigérateur.

Gaufres au parmesan, à la ricotta et aux tomates

Préparation : 25 mn
Cuisson : 2 h
Pour 6 gaufres

12 tomates olivettes
1 cuil. à soupe d'huile d'olive
1 cuil. à soupe de vinaigre balsamique
500 g de ricotta fraîche
125 g de crème fraîche
2 cuil. à soupe de ciboulette hachée
1 cuil. à soupe de menthe hachée
1 cuil. à soupe de persil haché
1 cuil. à soupe de basilic haché
1 cuil. à soupe de thym haché
250 g de farine avec levure
     incorporée
50 g de parmesan fraîchement râpé
2 oignons nouveaux, hachés
2 œufs, jaunes et bancs séparés
185 ml de lait
185 ml d'eau
90 g de beurre, fondu

1. Préchauffer le four à 150 °C (th. 2). Couper les tomates en deux dans la longueur et les disposer sur un plat à four. Faire cuire 45 minutes au four. Badigeonner d'un mélange d'huile, de vinaigre et faire cuire à nouveau de 45 minutes à 1 heure, jusqu'à ce qu'elles soient ramollies. Ajouter plusieurs fois un peu de mélange d'huile et de vinaigre pendant la cuisson.
2. Battre dans un bol la ricotta, la crème fraîche, les herbes, le sel et le poivre.
3. Préchauffer le moule à gaufres. Mélanger la farine, le parmesan et l'oignon nouveau dans un bol et faire un puits au centre. Fouetter les jaunes d'œufs, le lait, l'eau et le beurre dans un pot et verser dans le puits. Bien mélanger pour obtenir une pâte presque lisse. Battre les blancs en neige, jusqu'à ce que des becs se forment sur le fouet. Incorporer une cuillerée à soupe de blancs en neige à la pâte et remuer pour la rendre moins épaisse ; ajouter le reste des blancs.

4. Badigeonner de beurre fondu les deux surfaces du moule. Verser 1/2 tasse de pâte au centre et répartir dans les coins avec le dos d'une cuillère. Faire cuire 2 à 3 minutes. Servir chaud avec les tomates et le mélange à la ricotta.

Badigeonner d'huile et de vinaigre les tomates à moitié cuites.

Battre la ricotta, la crème fraîche, les herbes, le sel et le poivre dans un bol.

Verser les ingrédients liquides dans le puits formé au centre des ingrédients secs.

Gaufres aux pommes de terre

Préparation : 25 mn
Cuisson : 40 mn
Pour 4 gaufres

4 pommes de terre
300 ml de lait
60 g de beurre, fondu
2 œufs, légèrement battus
2 cuil. à soupe de ciboulette ou de persil
180 g de farine avec levure incorporée
1/2 cuil. à café de sel

1. Faire bouillir les pommes de terre sans les éplucher. Retirer du feu lorsqu'elles sont presque cuites. Laisser refroidir, les éplucher et les râper grossièrement.

2. Mélanger les pommes de terre, le lait, le beurre, les œufs et la ciboulette ou le persil. Ajouter la farine et le sel.

3. Badigeonner de beurre fondu les surfaces du moule à gaufres préchauffé. Verser 1 tasse de pâte au centre et répartir. Faire cuire 5 minutes jusqu'à ce que la gaufre soit dorée. Garder au chaud. Servir avec du bacon, des tomates grillées et le chutney.

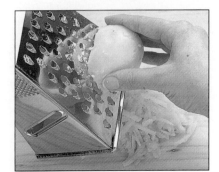

Faire refroidir les pommes de terre, les éplucher et les râper finement.

Ajouter la farine et le sel dans la préparation aux pommes de terre.

Verser la pâte au centre du moule à gaufres.

Gaufres au piment, à la coriandre et au tofu

Préparation : 25 mn
Cuisson : 30 mn
Pour 4 gaufres

350 de tofu bien ferme, coupé en
   triangles de 1 cm d'épaisseur
1 cuil. à soupe de gingembre frais
   finement râpé
2 oignons nouveaux, hachés
60 ml de mirin
60 ml de sauce de soja
1 cuil. à café d'huile de sésame
250 g de farine
2 cuil. à café de levure chimique
125 g d'arachides, grillées et finement
   moulues
400 ml de lait de coco
2 œufs
1 cuil. à soupe de zeste de citron vert
   râpé
30 g de beurre, fondu
2 cuil. à café de sambal oelek
1 poignée de feuilles de coriandre

1. Tofu mariné : mettre le tofu dans un bol
et recouvrir du mélange de gingembre,
d'oignons nouveaux, de mirin, de sauce de
soja et d'huile de sésame. Couvrir et réfrigérer pendant 2 heures. Bien égoutter et
garder la marinade. Avant de servir, faire
cuire le tofu dans une poêle antiadhésive à
feu vif pendant 3 minutes, jusqu'à ce qu'il
soit doré.
2. Préchauffer le moule à gaufres. Tamiser
la farine et la levure chimique dans un bol,
ajouter les arachides et faire un puits au
centre. Fouetter le lait de coco, les œufs, le
zeste de citron vert, le beurre fondu et le
sambal oelek dans un pot et verser graduellement dans le puits en battant bien
pour obtenir une pâte presque lisse. Ajouter la coriandre.
3. Badigeonner les deux surfaces du moule
à gaufres de beurre fondu. Verser 1/2 tasse
de pâte au centre et répartir dans les coins.
Fermer le moule et faire cuire la gaufre de
3 à 5 minutes, jusqu'à ce qu'elle soit dorée
et croustillante. Enlever du moule et garder chaud pendant la cuisson du reste de la
pâte.
4. Partager les gaufres sur 4 assiettes et disposer le tofu frit sur chacune d'elles, arroser de marinade et garnir de quelques
tranches d'oignons nouveaux.

Verser le mélange de gingembre, d'oignons,
de mirin, de soja et d'huile sur le tofu.

Ajouter les arachides à la farine tamisée
avec la levure chimique.

Avec une cuillère en métal, incorporer les
feuilles de coriandre à la pâte.

Verser 1/2 tasse de pâte sur le moule à
gaufres et répartir sur toute la surface.

Gaufres mexicaines

Préparation : 35 mn
Cuisson : 45 mn
Pour 5 à 6 gaufres

2 boîtes de haricots rouges de 425 g,
    égouttés
250 ml de bouillon de légumes
2 oignons, coupés en dés
2 gousses d'ail, hachées
3 carottes, épluchées et coupées en dés
2 cuil. à café de graines de cumin
60 ml de sauce tomate
3 cuil. à soupe de concentré de tomates
2 cuil. à soupe de vinaigre

250 g de farine
1 cuil. à soupe de levure chimique
2 œufs
300 ml de lait
80 ml d'huile
2 avocats coupés en tranches, du ched-
    dar râpé, de la crème fraîche et du
    paprika, pour servir

1. Mettre les haricots et le bouillon de légumes dans une grande casserole et ajouter l'oignon, l'ail, les carottes et les graines de cumin. Faire cuire 30 minutes pour que les légumes soient tendres. Ajouter la sauce tomate, le concentré de tomates et le vinaigre, et faire cuire 15 minutes. Saler, poivrer et garder chaud.

2. Préchauffer le moule à gaufres. Tamiser la farine, la levure et une pincée de sel dans un bol et faire un puits au centre. Fouetter les œufs, le lait et l'huile dans un pot et verser dans le puits. Remuer pour obtenir une pâte presque lisse. Beurrer les surfaces du moule à gaufres. Verser 1/2 tasse de pâte dans le centre du moule et répartir dans les coins. Faire cuire 5 minutes, jusqu'à ce que la gaufre soit croustillante. Garder chaud pendant la cuisson du reste de la pâte.

3. Verser le mélange aux haricots et l'avocat sur les gaufres et saupoudrer de fromage. Passer sous le gril pour faire fondre le fromage. Garnir de crème fraîche et saupoudrer de paprika.

Secrets du chef

Note : quelques gouttes de tabasco relèvent la saveur des haricots. Servir avec des feuilles de laitue.

Ajouter la sauce tomate, le concentré de tomates et le vinaigre aux haricots rouges.

Verser les ingrédients liquides dans les ingrédients secs et remuer.

Verser la pâte sur le moule à gaufres et répartir dans les coins.

Gaufres au maïs et à la salsa de tomates

Préparation : 30 mn
Cuisson : 20 mn
Pour 6 gaufres

Salsa de tomates
4 tomates, coupées en dés
1 poignée de feuilles de coriandre
1 petit oignon rouge, haché
2 oignons nouveaux, hachés
1 cuil. à soupe de vinaigre de vin rouge
1/2 à 1 piment jalapeno, épépiné et haché

1/2 cuil. à café de sucre
250 g de farine
1 cuil. à soupe de levure chimique
1 cuil. à café de sel
2 œufs
320 ml de lait
60 ml d'huile
100 g de grains de maïs en conserve, égouttés
2 cuil. à soupe de persil ou de ciboulette hachés
25 g de parmesan, râpé

1. **Salsa de tomates :** mixer les tomates, les feuilles de coriandre, l'oignon, les oignons nouveaux, le vinaigre, le piment et le sucre. Hacher grossièrement et verser dans un bol, assaisonner de sel et de poivre, et

couvrir.
2. Préchauffer le moule à gaufres. Tamiser la farine, la levure chimique et le sel dans un bol. Fouetter les œufs, le lait et l'huile dans un pot et ajouter aux ingrédients secs. Remuer pour obtenir une pâte presque lisse. Incorporer les grains de maïs, le persil ou la ciboulette et le parmesan.
3. Badigeonner de beurre les deux surfaces du moule préchauffé. Verser 1/2 tasse de pâte au maïs et répartir sur toute la surface du moule. Faire cuire 3 ou 4 minutes, jusqu'à ce que la gaufre soit dorée et croustillante. Garder chaud pendant la cuisson du reste de la pâte. Servir les gaufres chaudes, avec un peu de salsa de tomates.

Porter des gants pour épépiner et couper le piment, car il peut irriter la peau.

Mélanger tous les ingrédients de la salsa dans un mixeur.

Incorporer les grains de maïs, les herbes hachées et le parmesan à la pâte.

Gaufres au jambon et au fromage

Préparation : 20 mn
Cuisson : 25 à 30 mn
Pour 4 ou 5 gaufres

250 g de farine
1 cuil. à soupe de levure chimique

1 cuil. à café de sel
2 œufs, battus
80 ml d'huile
320 ml de lait
2 cuil. à café de moutarde à l'ancienne
60 g de cheddar râpé
2 cuil. à soupe de persil haché
80 g de jambon coupé en petits morceaux

1. Préchauffer le moule à gaufres. Tamiser la farine, la levure chimique et le sel dans

un bol et faire un puits au centre.
2. Fouetter les œufs, l'huile, le lait, la moutarde, le fromage et le persil dans un pot. Verser dans le puits et fouetter pour obtenir une pâte lisse.
3. Badigeonner de beurre fondu les surfaces du moule. Verser 1/2 tasse de pâte dans le moule et répartir dans les coins. Parsemer 1 cuillerée à soupe de jambon et faire cuire 4 à 5 minutes. Garder chaud pendant la cuisson du reste de la pâte. Servir avec des tranches de tomates.

Fouetter la préparation aux œufs avec une fourchette.

Verser les éléments liquides dans le puits formé au centre des ingrédients secs.

Parsemer de jambon coupé en petits morceaux sur la gaufre avant la cuisson.

Gaufres au maïs et à la salsa de tomates (en haut) et gaufres au jambon et au fromage.

Index